Angela Spencer

第一章
抗命小孩，抓狂父母

下一代对上一代的权威少有无条件接受的，除非这种权威通过了年轻一代的"考验"，证明它确实值得效忠，否则他们是绝对不肯低头屈服的。

一些有关管教小孩的书和文章里，通常只提到"孩童不负责任的行为"，却很少人提到"故意的抗命"，其实这是两种截然不同的行为。

我们杜布森一家由父亲、母亲、两个小男孩、一个小女孩、一只仓鼠、一只长尾鹦鹉、一条寂寞的金鱼和两只无药可救、神经兮兮的小猫组成。大体说来，除偶有小摩擦，一"家"还算相安无事。不过，我们"家"中还有另外一位与大家有些格格不入、不肯合作的成员——它重约5.4公斤，是一只性情倔强的猎獾狗，我们替它取名为西格曼·弗洛伊德（著名心理学家，精神分析学创始人），昵称西吉。这家伙打心眼儿里觉得整幢房子都是它的地盘。有人告诉我猎獾狗一向自行其是，不大与人为伍；然而，西吉却属于不折不扣的革命派。我倒不是说它居心不良或者胸襟狭隘，只是它一心只求凡事顺己意而行，在过去的12年中，我和它一直处于势不两立的争战中。

意志力的对抗

西吉不但生性倔强，在家中它也不肯稍尽自己的义务——在寒冷的冬晨，它绝不肯替你叼报纸进门；它也拒绝与孩子们玩抛球捡球的游戏；连菜园里的地鼠它也懒得撵一撵；而且大部分受过训练的狗会耍的把戏，它是一样也不会。还有呢！西吉对我替它挖空心思设计的自我提高课程一律漠然处之，从不主动参与。它懒散地到处游游逛逛，只喜欢玩玩水，伫立在玫瑰花前嗅嗅闻闻便心满意足了。

更气人的是,西吉连一条好的看家狗也算不上。这个怀疑最后终于被证实了——一天晚上,有个夜贼在凌晨3点左右闯入我家后院,当时我恰好从一场好梦中醒来,跳下床,摸索着走到门边。我知道凉台上有人,西吉显然也知道了,因为这个胆小的家伙竟弓着身跟在我后面!我听到自己的心扑扑地跳着,等了几分钟,我伸手握住后门球形把手。这时,院子的门悄悄地开了又关了,有人正站在离我不过1米的地方,而且那家伙正在我的车库里胡乱摆弄。黑暗中我同西吉交换了意见,决定由它出头去看看到底是怎么一回事。我一把打开后门,对西吉叫道:"上呀!"然而,西吉一动也不动,站在原地浑身打颤,牙齿格格有声。它的样子糟糕之极,我想即便我用力推它,也不可能让它踏出后门一步。幸好在接下来的一片混乱嘈杂声中,夜贼转身开溜,于是人狗皆欢!

请千万别误解我对西吉的态度——西吉属于我们家庭的一员,我们非常喜爱它。而且尽管它不愿放弃自己游侠式的天性,我最终还是教会它服从一些简单的命令。不过,在它极不情愿地承认我的权威之前,我们之间曾发生过几场"经典战役"。其中一场最激烈的遭遇战发生在几年前。当时我出差到迈阿密参加了一个为期三天的会议,等我回到家来,我发现西吉趁我不在,已经宣布成为整幢房子的主人了。不过一直到当天晚上,我才意识到西吉对自己一家之主的新位置是相当认真的。

那天晚上11点左右,我告诉西吉回它的床上去。它的床设在起居间里的一个永久性的围笼里。6年来,我一直在每天临睡前如此吩咐西吉,它也毫无异议地遵从。但那天晚上,西吉却拒绝服从。你瞧,它赖在浴室不走,并且舒舒服服地坐在毛茸茸的马桶盖上——这是它最喜欢的地方，因为它可以靠着旁边的电暖器取暖。有些情形下，西吉会花很大的代价学会一件重要的事情，比方说要跳到马桶上坐下之前，最好先把盖子盖起来。我永远忘不了西吉学到这个功课的那晚上，它挟着一身寒气冲进浴室，旋风般地跳上马桶，一眨眼之间，差点淹死在马桶里，直到我把它湿淋淋地捞出来。

当我告诉西吉离开自己的温暖"沙发"，回到床上去的时候，它拉长了耳朵，慢慢地把头抬起来对着我。然后，它故意把一只脚放在马桶盖子边上，双肩拱起来，呲牙咧嘴地发出它最吓人的咆哮声。这是西吉在以自己的方式说："你已经管不了我了！"

你排老几？

以前我也见识过这种反抗的态度，我知道对付它挑战的惟一办法就是威胁它就范，其他的都不管用。我转身到衣橱里抽出一条小皮带来，打算用它和"弗洛伊德"先生好好"理论理论"。在一旁观战的妻子告诉我，当我一离开浴室，西吉马上跳下它的宝座，往大厅里看看我到什么地方去了，然后又转到她身后，朝她狂吠了一阵。

我带着皮带回来，再一次告诉那只怒气冲冲的狗回到自己的床上去。它巍然不动，于是我往它的后身狠狠抽了一记，它反身要咬皮带。我再抽一记，这回它试图咬我……接下来所发生的事实在难以启齿，那只小狗和我展开了一场人兽之间最恶毒的大战，情形空前绝后。我们两个又抓、又撕、又吼、又抽，我终于把它一步步地逼回到起居室它的床上。如今我一想起当时的情境都觉得面红耳赤。最后西吉吠了几声,终于跳离"沙发",乖乖回到它自己的天地里去了。我赢得了大战的胜利,可我的得胜仅仅是因为——我跟西吉的体重比是50:3。

第二天,我以为临睡前与西吉必然又有一场大战。然而出乎意料地,当我一命令它上床时,它便迈步走向起居间,完全顺服,毫无异议,也无抱怨。事实上,那次大战到如今,已有4年多了,然而从那次起,西吉再也没有越雷池一步了。

如今回想起来,显然西吉是以它作为犬类的方式在向我挑战:我可不认为你强大到够资格向我发号施令!也许这件事看上去是我把狗的单纯行为人格化了吧!但我不觉得有什么错。问问那些当过兵的人就知道这是千真万确的,有些狗,特别是猎獾狗和牧羊犬,它们根本就不会接受主人的指挥,除非人类的权威经受了如火般的考验并证实了它的价值。

不过我写的可不是一本教你训练狗的书:在西吉的故事中有一个极重要的道德教训,对教养儿童而言是十分重要的。这就是——如同狗有时会向它的主人挑战,小孩子也会做同样的事情,而且变本加厉。这是个极重要的观察,因为它表现出人类天性中一个极重要的特质,却很少被著书讨论儿童教养的所谓专家正视或承认。直到目前为止,我还未发现有写给父母和老师的书中提到过这种争斗——令人筋疲力竭的意志对抗,但多半为人父母和做教师的人都常常经历到这种争战。

下一代对上一代的权威少有无条件地接受的,除非这种权威通过了年轻一代的"考验",证明它确实值得效忠,否则他们是绝对不肯低头屈服的。

力量与勇气

孩子们为何如此好斗呢？谁都知道他们是正义、法律、秩序和安全限制的热爱者。一个缺乏管教的儿童会不觉得自己是属于家庭的一员。

那么，为什么做父母的人不能平心静气地，用讨论和讲理或轻轻拍头的方式，来解决一切的冲突呢？答案在于，小孩们的价值体系十分奇特，他们心中尊敬的是能耐和勇气（也是糅合着爱心的）。除此之外，我找不出为什么那些"神奇超人"、"万能船长"、"魔法仙女"的童话故事如此大受孩子们欢迎的原因。小孩子们都喜欢夸口："我老爸把你老爸打趴下！"（有个小孩听了回答道："那不希奇——连我老妈都可以把我老爸打趴下呢！"）其中道理又何在呢？

你瞧！孩子不分男女，都在乎"谁最行"这种事。小孩一搬新家或转入新的学校时，通常必须同他人战斗一番（或在言语之间，或在体力上），以建立自己在新的力量体系中的地位。只要对儿童世界略有研究的人都知道，每个团体之中都有个"老大"，也有个被死死压在最底层的"老幺"，而每个小孩对自己在团体中到底属"老几"，都是心中有数。

最近我妻子和我邀请了我们正就读小学四年级的女儿的14位女同学到家里搞过夜聚会（Slumber Party，一种一起过夜的聚会，女孩在寝室里穿着睡衣，谈话、游戏），这使我们有机会来观察这种社交层次。这是很高尚的社交行动，可我想说的是，我们再不想举办类似的聚会了。一个令人精疲力尽的不眠之夜，笑啊、唱啊、跳啊、闹啊！不过从社会学观察的角度来说，这又是一个很有意思的晚上。

女孩子们于周五下午5点陆陆续续到达后，父母们便离开了，要等到第二天上午11点才回来接她们。虽然我与她们只是初识，但经过17个小时的相处，我已能够辨识出每个孩子受尊敬和爱戴的程度来，还有她们在群体中的位置。有个女孩俨然是女王，高高在上，其他的人抢着替她做事，她说笑话的时候，一定哄堂大笑；然后地位比她稍低的是排名第二的公主；接着是三、四、五，依次往下。而位在最下面的灰姑娘是一位满心烦恼的小女孩儿，常常遭到整个群体的歧视和排斥。虽然我觉得她的笑话一点也不亚于那位"女王"，可她讲笑话时没人报以笑声。当她建议大家玩个游戏时，马上就被驳倒，被讥为愚蠢的建议。我发现自己很偏向这位被孤立的女孩儿，为她叫屈，她的处境是不公平的。然而不幸的是，只要有3个或3个以上的小孩(不管哪种性别)凑在一起，就有人得垫底，这是孩童的天性。

打擂台——试探你的底线

因为孩子尊敬能耐和勇气，因此他们也想知道在他们上面的人有"多行"。他们会不时故意违抗父母亲的命令，目的正是探探他们的决心。因此，不管你是做父母的，或是做祖父母的、童子军领袖、校车司机，还是学校的老师，我保证不用多久，在你领导下的小家伙就有人会按捺不住向你握拳叫阵，好像临睡前的西吉，以它桀骜不驯的姿态告诉我："我可不认为你有叫我服从你的能耐！"

这个抗命的把戏，又叫"挑战首领"，孩子们玩起来，小小年纪,其技巧和谙熟叫你难以置信。有个父亲告诉我,他带着3岁的女儿去看篮球赛。当然,这小女孩除了对球赛不感兴趣,对球场里其他的一切都十分着迷。父亲允许她在观众席上又叫又爬,但严肃地警告她最远不得跨过某些界限。他甚至还牵着她的手走了一圈,指着漆在地板上的一条横线对她说:"简,你可以在体育馆里随便玩,不过可不许越过这条线。"然而当他一放手转身回座位之际,便看到女儿径直往"禁区"走去。她在父亲画下的界限旁停了一下,回头朝她父亲咧嘴一笑,故意把一只脚跨出界限之外,仿佛在说:"如何?你能把我怎么着?"实际上,这是每一个做父母的人,都曾在某个时刻被问过的一个问题。

对孩童期故意抗命的行为一定要处理得当,因为这种叛逆可能种下个人灾祸的种子。等到麻烦连连的青春期到来时,便长成一团解不开的荆棘了。

勇敢接受挑战

如果做父母的拒绝接受子女故意抗命的挑战,他们的关系就会从此颠倒——小家伙对他父亲和母亲的敬意消失了,他觉得他们不再配得上他的服从;更重要的是,在他心中会感到困惑:如果父母亲真的是爱他的话,为什么会允许他去做那些有害和不该做的事呢?孩童期最大的一个矛盾心理就是——孩子们不分男女,一方面都希望接受父母的引导,但是他们也十分坚持,要他们的父母是一个真正有能力来带领他们的人。

在我们崇尚自由放任的社会中,人性至为重要的这个方面却很少得到正视,这简直是难以置信的事。我再说一次,市面上最受父母和教师们欢迎的一些教科书里,甚至提都不提这一点——父母亲们面对的乃是一场意志对抗或决战。一些有关管教孩子的书和文章里，通常只提到"儿童不负责任的行为"（Childish Irresponsablity），却很少人提到"蓄意的抗命"，其实这是两种截然不同的行为。

1975年在一本家庭杂志上有一篇文章，标题是《新妙方——如何养个乖小孩》，它正是典型的让当今父母囫囵下咽的软性文章。（然而，如果它的方法真的如此神奇，为什么5000多年来的父母们却一点也不曾得着这个灵感呢？）文章中有个小标题更能揭示它的观点。小标题是："奖励你的孩子——惩罚无效！"这两个极端乐观的大小标题引着我们一路行去，两旁尽是美丽动人的樱草花。其间作者一次也没提到过，孩子也会对着父母吐口水、会冲进汽车呼啸来去的街道中间、会锯掉饭桌的一只腿、会把小猫、小狗丢到马桶中去……对于那些每天撑着一颗疼痛欲裂的头上床的父母亲们，作者似乎毫不知情。而这些父母们正每天都在问自己——为什么做父母竟是如此令人心力交瘁、精神崩溃的一件事呢？相反地，那篇文章津津乐道的是一些细枝末节的儿童不负责任的行为，比如怎样让你的孩子养成饭前洗手的习惯啦、怎样穿着合宜啦、怎样让他们主动倒垃圾啦，等等。

不错，要小孩养成负责任的习惯固然是一项高尚的目标。不过，我们应该承认一点——塑造小孩子的意志力乃是更重要的一环。

意志力的强弱

近年来，我一直在观察婴孩和幼儿的行为，我绝对相信每个小孩的脾气生来迥异，而且天生的脾气会影响人的一生。

虽然15年前我的想法并不是这样的，然而，如今我深深相信每个新生儿的个性，从降生伊始就存在很显著的差异。拥有两个或两个以上孩子的母亲们都知道，她的小孩的脾气个个不同，感受各异，这种感受从第一天抱小孩的时候就不一样。从事儿童发展研究的专家们如今大都同意，这些复杂的小生物，即所谓的婴孩们，当他们到人世来报到时，绝非只是一片空白的石板。由蔡斯、托马斯、博赫所做的一篇极重要的研究报告显示，可以从9项显著的外在行为来分辨每个婴儿的不同特质。这些行为包括：活动量、反应程度、受干扰的程度和情绪的变化等，而这些先天的差异将随着年龄的增加继续体现在他们身上。

然而我最感兴趣的是观察婴儿的另一项特质，姑且称这项特质为"意志力的强弱"。有些孩子天生就比较随和，对外界的权威态度温顺——在婴孩时期，他们很少哭闹；从出生的第二个星期就开始睡通宵了；他们一看到父母便知道咕咕作声，一换尿布就笑，饿了时也蛮有耐心的，而且出门作客时，他们从来不会一路吐唾沫流口水；稍大一点后，他们喜爱保持房间整洁，特别喜欢做功课，可以一个人自得其乐地玩上好几个小时。这样的乖孩子恐怕是千中难得有一的，但在某些幸运的家庭，确实会有这种孩子(我自己的孩子可不是这样)。

有人天生柔顺，而有人却是自打出娘胎起就大逆不道——他们叼着一根雪茄烟到人间报到。他们对产房的室温、笨手笨脚的医护人员和医院的日常制度心怀不满、大吼大叫。一饿就得有人马上送吃的来，做母亲的每时每刻都得守在身边，随着年龄日长，他们意志力的强度也愈来愈明显。等到蹒跚学步的时候,他们的脾气将如飓风狂扫。

温顺与倔强

　　我想孩子身上体现的这些或柔顺或倔强的特质,用到超级市场购物的经验来比喻是再合适不过的了——比如当你到超级市场买食品,推着购物车走过货架间的走廊。你轻轻一推,购物车便往前轻快地滑行,慢慢停在3米之遥的前方;你一路逍遥自在地把番茄酱、罐头汤和面包一一抛进车子里面去,想想即便车子载满了食品,而你只需动一动小指头就能随心所欲地推着它前行,这种购物体验真是再惬意不过了!

　　但是,购物可不是每次都如此幸运的!某些时候,你会碰上一辆"不怀好意"等在市场门口的手推车,当你要这蠢笨家伙前进时,它却往左一拐撞翻了整排的瓶瓶罐罐。你当然不肯被这家伙打败,于是使出全身力气抓紧它的推手,可所有使它回归正道的努力都是徒然。它做出一副自有主张的样子往蛋堆直冲,回头又朝牛奶奔去,差一点没把一位穿着绿色球鞋、大惊失色的老祖母压扁了。同样是购物,昨天易如反掌,今天却像打仗了,等到结账出门之际,你已经累得浑身瘫软了。

　　这两辆购物车又有什么区别呢?很明显,第一辆车轮子直挺,油润合宜,推起来很顺畅;另一辆车的轮子歪斜扭曲,因此不听使唤。这个比喻与教养孩子不是一个道理吗?养育子女的时候,我们也可能面对一种境况——有些孩子天生就带有"歪斜的轮子"。大人说东,他们的天性却偏偏要他们往西,这种孩子的父母要"推得动车子"至少得比那些有"直挺、油润合宜的轮子"的孩子的父母们多花上7倍的力量。(只有那些个性强硬

11

的小家伙的父母们,才能完全领会这个比喻的内涵!)

　　然而所谓"典型的"或者"标准的"小孩子们的反应到底又是如何呢?我最初的假设是——若以意志强度为横座标,画出来的分布图应该是典型的钟形曲线图(如图1所示)。换句话说,即有少数一些极端柔顺的小孩,也有与此数量相近的个性强硬的小孩,而大多数的小孩处在中间区。

　　可惜,在访谈了至少2.5万对苦恼的父母之后,我知道自己最初的假设是错误的——真正的分布图应该像是图二中所展示的(参见图2),天性柔顺的小孩只占极少部分,而越往个性强硬的方向,小孩的人数越多。

图 1:意志强度

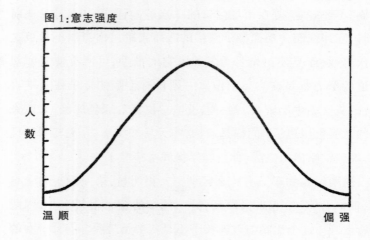

人数

温顺　　　　　　　　　　　　　　　倔强

图2:意志强度

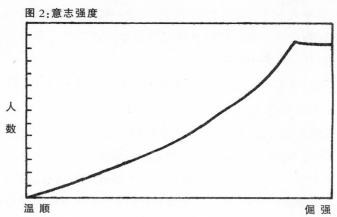

人数

温顺　　　　　　　　　　　　　　倔强

　　不过别仅仅从表面来看这项观察结果,也可能是大多数学步期的孩子们都一心想要征服这个世界,因此易于表现得强硬和勇敢。另外还有一个有关手足之间相处的现象,我至今无法解释。如果一个家庭有两个孩子的话,小的那个通常性格温顺,而大的却趋向叛逆。性格温顺的孩子天生具有讨人喜欢的本事,一天24小时中,他至少有16个钟头面带微笑,他把大部分时间和心思都花在揣摩父母希望他如何表现、怎么做才能使他们开心上。确实,柔顺的小孩极需父母的赞许和鼓励,他的人格也因此受这种要赢得父母的热爱和肯定的欲望所支配。

　　然而,同一家庭那个个性倔强的孩子却从相反的极端来塑造自己的生活——他偷偷给四个轮子装上刹车,企图掌控全家的方向盘。如此一来,你可以想像这种巨大的性格反差,将会为手足间严重的竞争和怨恨埋下多少伏笔——那位个性叛逆的孩子不停地遭到责罚,耳边尽是威吓和指责的话语;与此同时,他那位如天使般的兄弟,全家的小甜心,正毫不留情地衬托出他的恶行来,吸走了他的父母亲的温情。因为天生性格上的差异，他们彼此相争，水火不容，甚至可能一生都处于敌对状态。（对于这种手足之间的冲突和敌对的现象，在第四章中还会特别讨论，并提出处理的建议。）

此外，还有一些关于个性倔强的小孩的研究结果，对做父母的人可能有所帮助。首先，内疚的父母可以放宽心地将他们的罪恶感和焦虑的感受表达出来。他们陷入了一场心力交瘁的战斗，满心挫折和疲惫。没有人事先告诉他们，原来做父母会是如此不容易。他们觉得这些紧张和压力都是由于自身的缘故，老在自我谴责。本来，他们是想做慈祥可亲、处事得力的父母来着——坐在壁炉边给他们穿睡衣的小天使们，温柔地念念神话故事。然而在现实的生活和应该的生活之间，却是一幕幕令人害怕和沮丧的情景。

另外，我发现那些有幸养了乖孩子的父母们，一点不能理解那些拥有个性倔强孩子的朋友们的感受，他们会说："如果你照我的办法来教小孩，就不会有这么多可怕的问题了。"这些话除了增加他们的内疚感，其实并无用处。在这里，容我说句公道话，个性倔强的孩子极难驾驭，就算他的父母们有再大的本事和爱心，也是不容易的。

尽早雕塑孩子个性

可能做父母的必须耐心教上好几年，才能使他学会相对地"顺服"，使他和其他家人有一个和谐、合作的关系。在这段漫长的训练期中，千万不要惊慌。不要奢望孩子倔强的个性，会在一夜之间全然改变，要以真挚的爱心和尊重待他，但是必须要求他服从你的引导。选一些值得认真面对的事件，在这些事件上接受他的挑战,并坚决果断地取得胜利;审慎地列出一些必须坚守的大原则,在这些大原则上绝不退让,用这样的办法赢得他的信服。别忘了对孩子积极与合作的行为给予注意、爱心和实际的奖励。

我觉得对拥有个性倔强、自行其事的孩子的父母亲们,最重要的一个忠告是:在孩子还小的时候就要开始教养他的性格。我衷心相信(虽然这是一项极难证实的假设),个性倔强的孩子属于"高危险"的类型,他们长大后往往会做出许多反社会的行为。他喜欢向学校老师的权威挑战;怀疑大人所教导的价值观;会向领导他的人挥舞拳头。我相信这一类的人容易产生两性关系混乱、滥用毒品和学业困难等诸多问题。当然,这并不是绝对的说法,因为人格发展的极端复杂性,使得完全准确地预测日后的行为,几乎是不可能的。

同时,我必须强调的一点是——整个看来,情况并非全部是负面的。个性倔强的孩子性情复杂而多变,往往发展出更多的性格特征;他们具有更大的潜力去开拓一种富于创造性的生活。不过,这种潜力的最终实现,有赖于一个稳定且有爱心的家庭环境。因此我再强调一次:当小孩蹒跚学步时,就必须着手塑造小孩的个性了。(注意:我并没有说要粉碎小孩的意志,也没有提到破坏或折断之类的字眼,下面几章中我会讨论"如何"去做。)

 问题解答

问：我想我还不是真正明白"故意的违抗"和"儿童不负责任的行为"之间的区别，你是否可以再做进一步的说明呢？

答：故意的违抗，照字面看来，就是有意识的不服从行为。若小孩明知父母期望自己做什么，却偏偏反其道而行之，这便是故意抗拒了。更简单地说，就是拒绝接受父母亲的领导地位。例如父母唤他，他却跑开了；尖叫、骂脏话，或是断然地不服从行为等。相反地，"儿童不负责任的行为"背后的原因，通常是由于遗忘、意外、失误、注意力集中期短、忍受挫折的耐力不足和不成熟等等缘故。在第一类例子里面，故意抗拒的小孩心里知道自己错了，等着看他父母的反应；然而犯了"儿童不负责任"的过失的小孩，他并不是准备要犯那些错，而是无心铸成错误。我认为，父母亲企图用体罚的方式来培养小孩子的责任感是不正确的（除非小孩是故意不肯负起责任来）。

最重要的是，若要管教合宜，必须考虑孩子行为背后的动机。假设我对站在走廊上的3岁儿子说："雷恩，关上门！"但是他的语言理解力不够，误解我的话，反而把门开得更大了。这种情况下，我是否应该惩罚他呢？当然不！即使他所做的与我命令的正好相反。他可是一点也不知道自己做了什么，他心中其实是想服从我的命令。这时，我必须根据他行为背后的动机，忍住自己的怒气。然而，当我要他收拾玩具，他却跺着小脚尖叫："我不！"还顺手扔了一辆玩具卡车过来。这时我就得对他的挑战采取行动了。总而言之，

除非我确知小孩知道他自己犯错了,应该受罚,否则绝不乱罚。在《圣经》箴言二十九章第一节提到:"人屡次受责罚,仍然硬着颈项,他必顷刻败坏,无法可治。"因此,我们应该教育小孩服从父母亲怀着爱的领导,以建立他们健全的性格。

问:当小孩子在愤怒中,是否可以向父母亲喊"我恨你"?

答:我个人的看法是不可以。也许其他研究者会告诉你,每个小孩子都会有怀恨父母亲的时候,应该允许他们发泄心中的敌意。然而我相信当你鼓励小孩将怨恨表达出来时,很可能也强化了他的坏脾气和暴戾的行为。应该有更健康的表达不满的方法。如果我的小孩满脸通红地第一次对我吼:"我恨你!"我会等他心平气和之后,用爱心恳切地告诉他:"查利,我知道早些时候的争执令你很生气,我们不妨坐下来心平气和地谈谈你的感受。所有小孩子偶尔都会生父母的气,尤其是他们觉得父母的做法不公平的时候。我知道你心里不舒服,我很抱歉我们刚才这样争吵来着。然而即便如此,你大叫'我恨你',这也是不对的。你知道,无论父母对你怎么冒火,也从没向你说过'我恨你'。因此我也不容许你用这种态度对待我。两个人若像我们一样彼此相爱时,他们可不想伤害对方。

"当你说你恨我时,我觉得很难过;反过来说,如果我对你说同样的话,你肯定也会难过的。如果你好好地告诉我,你为什么如此气愤,我会仔细听的。假如是我不对,我会尽力改过。我盼望你了解,任何时候你都有权利对我好好说任何话,即使是你对我觉得不愉快也不要紧。但是你再也不可任意发脾气，对我尖叫，直呼我的名字；如果你还要像小孩一样任性，我就必须以对待小孩的方式来惩罚你了。现在你对我有什么话要说吗？(如果没有，抱抱爸爸的脖子，你知道我一直都很爱你的。)"

这段话的用意在于允许小孩子表达不愉快的感受，却不鼓励暴戾、不尊重父母或挑战的行为。

问：如果你觉得自己错了，是否会向你的小孩道歉呢？

答：当然会的！而且我也真的道歉过。大约1年前，由于工作上的重重压力，我感到疲倦且容易上火。一天晚上，我对当时年仅10岁的女儿处处看不顺眼，终于克制不住自己的脾气。我清楚自己当时的行为有失公平，可身心的极度疲倦使我顾不得自己的态度。整个晚上，我故意向她找碴，把一些不该由她负责的错误怪到她头上，毫无必要地好几次使她情绪受挫。上床之后回想起来，我对自己的行为深感懊悔，决定第二天早晨向她道歉。经过一晚的好睡眠和美味的早餐之后，我对生活也感到比较乐观了。在女儿出门上学前我走到她身边，对她说："你知道爸爸并不是完美无缺的人，我也会疲倦，会发脾气，跟他人一样。有时我对自己的行为也深感惭愧。我知道，爸爸昨晚对你的态度很不公平，对你发了好大的脾气，希望你原谅爸爸。"

我的女儿一把抱住我，差点没把我推到地上去。她说："我就知道你会道歉，爸爸。那不算什么，现在一切都好了，我原谅你！"你瞧！比起他们那些忙碌且满心烦恼的父母们来，孩子们是更敏感两代之间的争斗的。

如何培养有个性的

孩子

第二章

亲子战争（出生到 24 个月）

管教小孩最重要的一步，就是事先制定合理的界限和期望。要求小孩子负责之前，要先让他明白什么行为是对的、是允许的，什么行为又是错的、是不允许的。

一位年轻母亲养了个很不听话的3岁小女孩儿，最近我在堪萨斯城时她找到我，感谢我的书和录音带帮助了她。她讲到，几个月前，她的小女儿变得日渐嚣张，甚至常常"威胁"和"吓唬"自己的父母。她和她先生都清楚，自己已经被小女儿操控了，可却一点办法没有。有一天在当地书店，他们碰巧看见我写的第一本专著——《勇于管教》摆在书架上出售。他们买了一本，学习到在某些界限清晰的情形下，必须对孩子施以适当的体罚。他们觉得我讲得有道理，因此再碰到小女儿无理取闹的时候，他们毫不犹豫地打了她的屁股。

这小女孩儿非常聪明，她清楚是什么东西使她父母的行为突然发生了转变。当她母亲第二天早晨起床时，她惊讶地发现那本《勇于管教》竟然漂在马桶里！这位胆大妄为的小姑娘使尽了浑身解数要把我的书送到她想让它去的地方——下水道。我想，这是迄今为止我所看到过的对我作品最强烈的批评了。

类似的事件不止一起。另一位儿童还把书店架上我所有的作品买下来，全部扔进壁炉付之一炬。说实话，这样的敌意是很容易让我变得神经紧张的。斯波克博士受到了千百万儿童的热爱，他们在他春风化雨般的温柔影响下自在地成长（他的著作教导父母们放任小孩子）；相较之下，我显然受到了一代儿童的敌视，也许他们一直盼望着在某个阴云密布的晚上把我捉到小胡同里痛打一顿。

孩子们深知两代之间的意志的战斗，正因为如此，父母亲们的反应才显得尤为重要。当孩子做出对自己和他人有危害和不尊敬的行为时，他背后的用意在于试探父母对他们规定的行为界限有多认真；这种试探与警察在天黑之后探手转动商店的门把的心情有本质相同的地方——警察虽然伸手开门，心中却盼望那门是锁得牢牢的。同样地，孩子们虽然挑战他充满爱心的父母，但是当他发现他的父母亲的领导地位仍然屹立不摇的时候，他的心里便得到极大的安慰。他发现自己身处在一个井然有序的环境之中，各人（包括他自己）的权利有一定的限度，他因此有了前所未有的安全感。

塑造意志力的六大原则

我们的目标乃是在孩童幼年时着手塑造他的心性，但是如何达到这个目标呢？我曾向许多做父母的提到这些原则，他们也同意这些原则十分重要，但是他们对如何在自己家中实行却一筹莫展。在这一章中，我会给一些具体的建议和忠告。首先，根据前面所说的，我列出六大原则：

第一条：制定家规
——在他们越界前先划出边界

管教小孩最重要的一步，就是事先制定合理的界限和期望。要求小孩负责之前，要先让他明白什么行为是对的、是允许的，什么行为又是错的、是不允许的。预先规定可以避免大人责罚小孩出于意外、错误和疏忽的行为时，孩子们所产生的很强烈的不公平感受。千万不要先斩后奏。

第二条：以无比坚定的态度
来处分小孩强硬的挑战行为

孩子一旦明白父母亲的要求和期望，就必须相应地对自己的行为负责了。这话说来容易，但是正如我们实际看到的，大多数孩子都会挑战长辈的权威，对他们的领导表示不服，用行动来违抗。孩子们会故意不遵守他的父母亲们所设下的界限，正如一位在战役发动前夕的将军，他会先算计一下可能遭遇的风险，然后集中炮火对准敌阵直轰。

当两代之间这种短兵相接的情形发生时，做父母最重要的就是表现出极端的镇静和自信。情况摆明了，是孩子在主动叫阵挑战；聪明的父母切不可令他们失望。最怕的是，父母们临阵惊慌失措，缴械投降。如果父母亲总是节节败退，输掉战役，诉诸眼泪、尖叫，或是其他显露挫败的行为时，孩童眼中的父母的形象便会由此全然颠倒——他们从可靠和自信的领袖一举变成了不堪一击、泪眼汪汪的对手，根本不值得尊敬和效忠。

第三条：要区分故意违抗和
孩童不负责任的行为

除非小孩故意违抗父母的命令，否则不可以惩罚小孩。诸如忘记喂狗、整理床铺、倒垃圾，无心地把网球拍丢在室外以至被雨淋湿，或者遗失了脚踏车之类的事，这些是小孩子避免不了的过错，属于童年期的正常行为。这些行为的产生多半是因为心智尚未成熟的缘故，大人应该避免增加他们不必要的焦虑和压力。如果大人期望小孩的表现更上一层时，务必态度温和。如果他还是没能按你的耐心教导做到，这可以按照预先规定的方法来适当处置（比方要求他劳动来偿付损害的东西，或者暂时禁止他使用的权利）。必须记住的一点是，孩童不负责任的行为与故意违抗的行为不同，对前者要更有耐心地加以处理。

第四条：冲突过后的安慰和教导

子女与父母之间的冲突之后，父母也证实了他们的领导权（特别是孩子最后哭得泪眼汪汪），这时2岁到7岁的小孩子特别需要父母的爱抚与安慰。记得要伸开双臂抱他，让他到你身边！将他拥在怀中轻摇他，告诉他你爱他，并再次跟他解释受惩罚的原因，教他怎样做才不会重蹈覆辙。这一时刻是爱、真诚和家人相互交流的时刻。

第五条：避免不切实际的要求

切不可向小孩做超出他能力之外的要求。不要因为小孩尿床了、或1岁了尚不能控制大小便、或因智力有限不能在学校中表现优异等事情而惩罚他们。这些不可能达到的要求只会置小孩于无法解决的冲突之中，且没有逃避的出路。长期身处这种境况会导致终生难愈的心理创伤。

第六条：以爱为引导

虽然做父母的也难免会有犯错的时候，但本着真挚的爱和关心，父母和子女之间乃至人和人之间都能建立一种健康温馨的关系。

打还是不打

讨论过上述的六大原则之后，下面让我们将注意力转向讨论一些更详细、更具体的塑造儿童心性的技巧和方法。

首先我们要讨论的是体罚的问题，这也是近年来备受争议的一个热门话题。在这一点上产生的荒谬理论之多，远远超过了教养小孩问题的其他方面。一位心理学家约翰·范塞克博士（Dr. John Valusek）曾和我一同出席多纳休（Donahue，美国一位极受欢迎的电视节目主持人）的电视节目接受访问。

他在一次演讲中说："要解决美国的暴力泛滥的问题，必须从禁止体罚小孩做起。"他还宣称，父母体罚小孩，使小孩认为他也可以以暴力来对待别人。他说："体罚在暴力尺度上虽是极轻微的，但是随之带来的却可能是激烈和极端的暴力，诸如强奸、谋杀和暗杀的行为。父母的体罚行为无疑是在向小孩子示范：当你没有别的法子解决问题时，你只有诉诸于暴力了。"

对范博士和他那些自由派的同仁们，我只有一句话："胡说八道！"把美国泛滥的暴力行为，归之于父母充满爱心的管教，这简直荒谬绝伦！再看看每天的电视屏幕提供给我们孩子们的那些充斥流血和暴力的东西，这种推论更显得愚不可及了！对美国一个普通16岁的少年而言，他在这段成长过程中至少从电视上看过了18000宗谋杀案。每天电视上不断出现刀光剑影、子弹呼啸飞窜、绞刑、砍头和肢体解剖等镜头，简直数不胜数。这不是显而易见的事实吗？奇怪的是，当今的心理学奇才们却掉头不顾，另觅残酷行为的源头，甚至还把矛头指向那些勤勤恳恳地训练着对未来负责任的小公民的父母亲。这一类的论调不断出现，对那些相信体罚的父母们产生了一股莫名的压力。

父母可以体罚孩子吗？

反对体罚的理由总的来说有四项，每一项都是根据一些错误和误解的说法。

体罚是否会教给孩子暴力？

第一类说法的代表是范博士，他以为责打小孩会无形中教导小孩去伤害其他人。这种说法将体罚视为愤怒的父母亲对他们的小孩所采取的身体攻击行为，目的在于报复或伤害这些小可怜。确实，这一类的暴力行为经常发生在两代之间，对小孩造成了巨大无比的伤害（这种行为的正确叫法是"虐待儿童"，我们在随后的章节中会讨论到）。然而对一个爱小孩的父母而言，责打的目的和实行方式都是截然不同的。在他们手里，体罚是一种教育工具，目的在于禁止小孩有害的行为，使它不再发生，而非一种可怕的伤害小孩的企图。一种是爱的行为，另一种是泄愤与敌意的行为，二者绝对不可混为一谈。

我在自己的另一本书《让孩子自信过一生》中反驳了范博士的说法，讲到了以代价较小的痛苦让小孩学到正确行为的重要性：

"有些专家认为父母责打小孩子，会教导小孩转而用同样的方式伤害他人，使他性情日趋暴戾。这真是无稽之谈。如果小孩的手曾经碰到过滚烫的炉子，我敢打赌他们绝对不会再故意用手去碰。而且他不会因为被炉子烫到就变成一个性情暴戾的人。事实上，他从身体痛苦中学到一个宝贵的教训。

"同样地，如果一个小孩从高椅子上摔下来，或用力打门而弄伤了手指，或被一只性情乖张的小狗咬了一口……这些事只会使他认识到在他周围世界中潜伏的危险。儿童期的浑身瘀伤和肿块是自然的途径，教育他如何应对相关的情况。这并不会伤到他的自尊心，也不会使他的脾气变坏，心藏邪恶。相反，这使他熟悉世界的现实。以此类比，父母出于爱心责打小孩收到的是同样的效果。它可以教导小孩，需要躲避的不仅仅是身体的伤害，此外有些心灵和社会交往上的陷阱，例如自私、不服从、撒谎和无理的攻击行为等，也必须小心避开。"

体罚是迫不得已的最后一招？

第二类反对体罚的理由同样可以在范博士的最后一句话中找到："当你没有别的法子解决问题时，你只有诉诸于暴力了。"你是否看出这个结论的漏洞呢？他将体罚视为最后的解决之道，在满心挫折和恶劣的局势下的最后一招。这样说来，体罚是随着尖叫、威吓、咬牙切齿、罚抄作业、泪如雨下这一切都无效以后接踵而来的。那些主张体罚的儿童教育权威们，也经常不自觉地掉入这个陷阱之中，认为体罚是在万不得已、其他所有方法都不管用的情况下才使用的。我是非常不赞成这种看法的。

我认为，一旦发生小孩故意抗拒父母的行为，作父母的便有权责打。正是如此！在冲突出现的初期马上责打就非常有效，因为此时父母的情绪尚未失去控制。如果任由小家伙又抓又咬地闹上90分钟之后，再打就来不及了，而且此时父母的情绪也容易失控。事实上，很多虐待小孩的案例，大部分是因为做父母的一开始容许小孩乱发脾气、骚扰父母、狂言乱语，不接受管教和长时间闹别扭的结果，一直等到父母一肚子气忍无可忍时，这时什么事都可能发生了（好多父母确实在这种时候把小孩暴打一顿）。

在我看来，像范博士这样的专家，其实无意之间助长了虐待小孩事件的发生。因为他的做法无异于剥夺了父母的管教权力，使得日常的小问题在还是轻微的苗头时得不到有效地纠正。当这些小冲突日积月累之后，做父母的也的确只能如范博士所说的："在没有别的法子解决问题时，只有诉诸于暴力了。"

老鼠钻迷宫的实验

第三类反对体罚的意见来自于动物心理学方面的研究——让小老鼠钻迷宫时，若实验者一看它转对了弯就奖励它东西吃，这远比一跑错路就用电击来惩罚它的效果好。奖励使老鼠更快地掌握了技能。从这种以及类似的研究中，专家们竟得出一个令人难以置信的结论：惩罚对人类行为无效！然而人到底不是老鼠，把小老鼠的研究结果简单地推论到人的身上，这显然是十分幼稚的。

很明显，小孩知道如何违抗大人的命令，这与在迷宫的交叉路口上茫然徘徊的小老鼠完全不同。我同意，每写错一个字就对小男孩或小女孩进行电击，这无助于他们学习能力的提高；可另一方面，在小孩故意违抗父母的行为背后，涉及到的是小孩清楚父母权威，并知道自己有义务服从这一权威。（而小老鼠连实验它的大老爷是谁、到底存不存在都还一无所知呢，它只是单纯地做出反应。）

如果惩罚真是对人类行为无效的话，那么警察开出的超速罚单对繁忙大街的交通管制为何很管用呢？那些抢着在限定日期之前上缴个人税，生怕晚了一天被征收6%的延期罚款的人们，他们又是怀着什么心理呢？如果惩罚真是无效的话，为什么常常一个挨过打的小捣蛋鬼，可以变成一个惹人喜爱的小天使呢？尽管老鼠行为心理学告诉我们惩罚无效，但事实是，惩罚与奖励在塑造人类品行的方面扮演着同样重要的角色，两者都不应被忽视。并未听说过老鼠跑迷宫实验的达芬奇曾经说："正是那些不惩罚邪恶的人令邪恶发生。"这句话现在听来，仍有它的意义。

保护小孩的志气

第四类反对父母适度使用责打方式的观点，其理由是——以为这种方式会挫伤孩子的尊严和自我价值。这是非常重要的一个论题，我会用整个第四章来谈如何维护孩子的志气。在这里我只说一点："孩子完全可以体会到父母的责罚是出于爱他还是恨他。当孩子知道自己做了应该被责打的错事时，父母的责罚最终反而可以使他如释重负。他明白管教的用意，便不会感到受羞辱。他甚至还会感激父母的管教，因为管教使他能够控制自己的冲动。"

我们可以从一位5岁孩子的父亲讲述的故事中，看出小孩的理解能力来。这个小孩在餐厅中不服管教，对母亲顶嘴，往弟弟身上洒水，还故意装出一副傻样子来。在四次警告无效之后，做父亲的抱起小孩往停车场走去，准备揍小家伙。一个爱管闲事的女人目睹了这一幕，跟着他们追出餐厅来到停车场。当惩罚开始的时候，她对这位父亲摇手大叫道："放开这孩子！别打了！再不停下我可要叫警察了！"此时，那5岁的小家伙在大哭大跳之际突然停了下来，满脸惊讶地问他父亲："那个女人有什么毛病？爸爸！"你看，虽然那位爱管闲事的女人搞不明白，小家伙可是清楚管教的用意何在的。我只希望范博士和他的同仁们能有小家伙这份精明和理解力。

我再强调一次，体罚并不是塑造儿童品性的惟一手段，并非对所有年龄段所有情形都适用的万灵丹。聪明的父母必须了解孩子在童年期各个阶段身体和情感的发展特点，再因时因地适宜地施以管教。以下我将列出不同的年龄段，对每一个年龄段提出一些案例和切实可行的建议，希望对父母们能有所帮助。但必须记住，这里说的并不完全，只不过是针对各个阶段的孩童，提供一些粗略的管教原则罢了。

从出生到7个月

7个月以下的婴孩千万不能体罚，也毋须直接的管教措施，不管他们的行为或当时的环境是怎样的。有许多做父母的可能并不同意，他们在小孩6个月大时，因为换尿布而扭动不安，或是在午夜哭闹时，有人便对小孩打屁股了。这是非常严重的错误。婴孩还不明白自己的行为"惹恼"了大人，也不能把随之而来的惩罚和自己的行为联系起来。在这个年龄，他需要的是父母的拥抱、爱意，尤其是温柔的言语。饿了就得喂他，让他觉得干净、舒适和温暖。更重要的是，孩子的情感和生理健康的基础就决定于这6个月，如果他在这段时期有安全感、爱心和温暖，这对他的一生都是很重要的。

不过从另一方面来说，如果小孩一嘤嘤做声或有哭泣的前兆，爸爸妈妈便赶忙上前抱他、安抚他，这样也很容易养出一个性情急躁、要求不断、终日需人关注及个性挑剔的孩子。因为很容易得着满足的缘故，婴孩马上就学会如何来操纵他的父母了。若是他的行为可以引来一些愉快的经验，他就会再三重复这样的行为，这在心理学上被称为"强化反应"。因此，一个健康的小家伙不难借着咕咕做声，使他的母亲每天12小时围着他忙得团团转。

为了避免这种结果出现，在给予你的婴儿适当的爱和使他变成一个小暴君之间，必须找到一个平衡的做法。在某些合理的时间内，对他的哭声要处之泰然（哭对肺部是有益的运动），不要一听到哭声就手忙脚乱地去抱他哄他。当然要特别留心分辨他哭声的音调异同，到底是普通的不舒服的信号或是真正难受的号哭。多数母亲都可以很快学会分辨它们的。

对于这个阶段的小孩，我觉得有义务再次提醒做父母的——有些婴孩天生就是乖宝贝，很容易带；有些可是竖毛小刺猬，他们好像一生下来就是为了搅乱自己的家庭。在白天舒舒服服地大睡，到晚上却号哭不止。肚子里像得了疝气，而且往往在父母抱着他散步的时候，把口涎吐得混身都是；他们一直把大小便控制得好好的，可一当你把他递给别人抱抱时他便噗噗拉屎。大人抱他的时候也不安生，他总是僵直身体想方设法地挣脱。

老实说，有些母亲会在凌晨3点钟全身无力地倚着摇摇晃晃的小床扪心自责："到底是怎么一回事呢？这孩子为什么这么难带呀！"早些时候她可能还在惶惶不安地寻思："可怜的小家伙活得成吗？"如今她却不得不问："我能不能活得下去呢？"然而，信不信由你，不知不觉间"这令人沮丧的时期"就过去了，变成父母心中一段模糊的回忆。而且说实在的，当父母看着这个刚愎的小暴君变成一个有思想、有爱心的人，具有永恒的灵魂，成了造物者所喜悦的一个人时，一切都值得了。因此我要勉励那些筋疲力竭、满心苦恼的新母亲："挺起胸来吧！岂不知你的工作，是世界上最重要、最有价值的一件事呢！"

（有人建议给婴儿喂一种混合着"燕麦"和"葱头"的食物，每晚一次。它的味道尝起来不怎么好，但却能帮助父母们在黑暗中准确地找到他们的孩子。当然，这是一种比喻，切不可从字面上去照做。）

8个月~14个月

在这7个月里，有许多小孩已开始试探他父母亲的权威，向他们宣战了。1岁之前，也许冲突并不大，出现的频率也不高，然而接踵而来的争战却是拭目可待的。

我的女儿在9个月大的时候，便第一次向她的母亲揭竿而起。当时，我妻子正在厨房洗地打蜡，小女儿丹尼慢慢地爬到厨房地板的旁边。妻子说："丹尼，别过来！"一边做手势阻止她爬进厨房。女儿很早便开始学习说话了，因此她挺明白"别过来"的意思。然而，她却往湿漉黏腻的厨房地板直爬过去。妻子抱她起来，把她放到厨房外边的走道上坐下，更严厉地告诫她："别爬过来，知道吗？"不过小家伙可是一点也不气馁，她又一次朝着刚拖过的地板蹒跚前进。妻子只好又一次把她抱到外面，又一次警告她。如此一而再、再而三，整个程序重复有7次之多。最后她终于放弃了爬进厨房的打算，大哭而去。在我记忆里，这是她们母女俩的第一次正面冲突，接下来的战役更是数不胜数。

父母应该如何管教一个1岁大的小家伙呢？要非常细心和温柔。这种年龄段的小孩子非常容易分心和转受其他兴趣点的吸引。所以，当你看到瓷杯在他手中岌岌可危时，你不必急着抢走他手中的杯子，只要另外拿个色彩鲜艳的玩具给他，再准备好接住从他手中掉下来的瓷杯就可以了。当正面冲突不可避免地发生时，也用不着体罚，只要坚持原则就可以了，就像我太太对女儿的方法一样。再说一次，别让小孩的眼泪吓住了，眼泪是小孩子极有力的武器，它被用来逃避午休、晚上上床、换尿布。做父母的必须有勇气来带领小孩，但要避免采用严厉、恶意或粗鲁的行为。

不过比起即将到来的岁月，1岁大的时候真可算是孩子生涯中一段极宁静和平的时光了！

15个月~24个月

有人分析过，这世界上大致有两种类型的人：第一种人随遇而安、凡事皆好，喜欢回答"是"；另一种人百事看不顺眼，遇事则说："不！"

我有十足的把握告诉你，每一个学步期的小家伙都属于第二种人。若要选一个词来代表这个时期的小孩，那就是："不要。"他不要吃麦片粥，不要和笨玩具卡车玩，不要洗澡，在任何时候都不要上床睡觉。有人称这个时期为"第一个青春期",理由很简单,因为这个年龄段的小孩所表现的尽是否定、冲突和反抗。

布拉(Brazelton)博士在他的名著——《学步期的小孩与父母》中对"可怕的2岁"(Terrible Two)有精彩细致的描述(凡是对这个阶段的小孩的迷人之处和挑战性愿意多加了解的人,我极力推荐此书)。下面引用的正是一位典型的18个月大的小男孩格瑞的写照。虽然我从没有见过他,对他却是熟悉无比。如果你恰好有一位蹒跚学步的小孩,相信你也会会心点头的。

 问题解答

案例:格瑞和母亲的较量

当格瑞迈入2岁的反抗期时,他的父母觉得仿佛被人用锤子重重地敲了一记。他所有的好天性突然间都消失不见了,取而代之的是连绵不断的叛逆行为。

他的父母一问他什么,他的小嘴便浮出微微一笑,眯起眼睛,再以坚定无比的眼神投向父母,吐出简短明确的答案:"不要!"即使是父母给他平常最爱吃的冰激凌,在接受之前,他也会特意说声:"不要!"问他要不要一起出去散步,他会一边忙着去找外套,一边回答你:"不要!"

他的父母向来善于观察他的一举一动,如今却无计可施。格瑞似乎下定决心在所有问题上都与他们过不去。如果父母要他做一些他熟悉的日常小事时,他的回答是:

"我不会!"当母亲禁止他乱翻他的衣柜时,他的反应是:"我就要!"他极力要挣脱旧日的捆绑,击溃他的父母,把他们加于自己的限制通通打破,直到他们竖起白旗才满意。

他的母亲刚离开房间,他马上便把电视打开。母亲返身把电视关掉,柔声责备几句又离开了。格瑞见母亲走了又打开电视。母亲急忙转回来,和他理论一番。如果问格瑞为什么不听话,他的回答是:"我就要!"如果母亲提高音量,声色俱厉,格瑞便转过头来盯着她一言不发。

待母亲一去厨房,格瑞立刻又扭开电视。母亲躲在门后观察他的动静,见状冲进去重重地打他的手心。格瑞只是叹气说:"我非看电视不可!"母亲坐在格瑞身旁,恳求他听话,要不只好重罚他了。他却皱着眉,一脸倔强之色,仿佛听到了,却爱理不理的。

母亲疲惫地起身向外走去,格瑞也疲惫地再度向电视机走去。她只好返身打他,满含泪水地责问他:"格瑞!你为什么一定要妈妈打你呢?我根本不想打你!"格瑞回答道:"我偏要!"当母亲瘫坐在椅子上,轻声哭泣,坐在母亲腿上的格瑞伸出手来摸摸她的脸,开始要安慰她。

这场冲突之后,格太太筋疲力竭。格瑞也觉出了母亲的伤心,想帮忙做点事情。他跑进厨房去拿出扫帚和畚箕,拖到母亲身边。他的转变让格太太破涕为笑,一把抱起他来亲了亲。

格瑞看到母亲心情好转了,便快乐地在房间手舞足蹈地跳,他滑到一张椅背后大叫:"嗨,你看我!"当他把椅子往前推时，一下绊上座灯，把座灯碰倒在地板上摔得粉碎。格太太大叫："天啊！"他蜷缩在地板上，两手捂住耳朵，双目紧闭，大有天塌下来也不关我的事的样子。

格太太把他抱上椅子，他突然哭了起来。她停下准备午餐的工作去抚慰他，但一切努力都没能改变整个事态。她把他放到地板上，让他自己玩。格瑞躺在地板上，开始一边哭，一边尖叫。事态很不寻常，格太太伸手检查了他的尿布是不是换好了，又摸摸他的额头，看是否发烧，需要给他喂一片阿司匹林。最后，她又转身去为他准备午餐，没有了听众，格瑞一会儿就安静下来了。

当母亲再次把格瑞抱上椅子时，他又开始号啕大哭起来。她把午餐碟子摆在他面前，他一把推开不肯吃。格太太困惑不已，便问他吃不吃冰激凌？他也无动于衷。她盛一碗浓粥，他终于勉强吃了几口，然后扔掉汤匙，推开冰激凌盘子。这时，格太太觉得他多半是病了。

格太太想分散格瑞对抗的情绪，让他下来在地板上玩，她独自坐下来吃午餐。这显然也不是格瑞希望的状态。他心里不快，接着干扰母亲，在一旁故意吵着也要吃她盘子里的食物。格太太一看他分明不是生病的样子，于是不理他，接着吃自己的。格瑞眼看无计可施，便爬到水槽底下找到一罐洗涤剂拿在手上，往母亲身边跑。他往前扑倒在地上，大声哭叫，做出弄伤自己的样子。这一招不管用。于是他开始嘟囔，做出嗖嗖的声音，样子看上去仿佛他正往裤子里面大便。这是格瑞发现的一种把母亲从自己的活动中吸引过来的办法，通常都很有效。这次也是，因为格太太已经急匆匆地起身"抓"他，要把他放到厕所的马桶上。坐在马桶上，格瑞朝母亲咧着嘴洋洋得意地笑着，但就是不肯大便。格太太此时的感觉就像自己身处战场之上，而每一场战斗她都注定要失败。

当她终于无计可施，转身去做家务时，格瑞便把憋了好久的大便噗噗地拉在了尿布上！

五点管教原则

上面这段描述细致的情景看上去实在是令人绝望。无可否认的是，总有这样的时刻，一个蹒跚学步的小家伙可以夺去一家的宁静。我的儿子雷恩就喜欢到给狗喂水的碗里去吹泡泡，他这个癖好至今还让我心惊胆颤。不过，做父母吃的苦头诚然不少，但是在这一阶段中，生命的蓓蕾随之绽放、多彩多姿也让人兴奋不已。小家伙们每天都在学习新的词汇，童言无忌中时时闪现惊人的"妙语"，让人半个世纪后都回味无穷。他们对仙女、圣诞老人的故事听得津津有味，看见毛茸茸的小狗兴奋得惊叫不已。多么可贵的童心童趣啊！更重要的是，这是一段父母和子女之间的爱心和温情交融无隙的宝贵时间。它随着生命的成长匆匆而去，又有许多子女已经长大的父母宁愿用他们所有的一切，来换取重温这段亲子相处的迷人时光。

在这里，我想建议几点管教的基本原则，但愿它们能够减轻小孩子的成长压力。我再提醒做父母的一句，儿童在这个暴风阶段表现出的否定态度是正常且健康的。我们绝对不能期望一个18个月大的小孩，与一个5岁大的小孩一模一样。

一、父亲应该尽量参与对孩子的管教和培养。这点十分重要，一方面孩子需要父亲，他们极力模仿父亲，以父亲为榜样。母亲更是需要丈夫的支持，尤其是专职在家带孩子的母亲，就像格太太那样的，白天与小家伙的冲突不断，到晚上已经累得筋疲力竭。丈夫在外工作一天之后回到家同样也累了，这时如果他们再坚持一下，合力把小家伙送上床，岂不是两人都能得到安静之后的安宁和休息吗？我对那些有个小婴孩或者一个2岁大的学步期小孩的母亲寄予特别的同情，世界上再也没有比这更艰巨的任务了。丈夫在这一点上应该理解妻子，让妻子能够感受到他的支持、感激和了解。（不过别问我怎样才能使丈夫学会共同承担养育小孩的责任，在这一点上，我像一只建议把铃铛系在小猫脖子上的小老鼠，只能说，一点也不知道该怎么着手。）

二、在孩童15~18个月之间可以进行轻度的体罚。体罚要十分慎重，除非出现类似格瑞那样，一定要看电视之类的反复不听话事件，才可以施行。这是因为他明知母亲的意思，却拒绝合作。但其他的行为，比如把灯撞倒了、不吃冰淇淋、或是拉屎在尿布上，这些还够不上让父母动手的程度。这个年龄阶段若管教过度严厉，会压制小孩对探索周围环境的好奇心，负面影响深远。再说一次，应该从学步期便开始教导儿童服从父母的引导，然而这个目的绝非一蹴而就的。

三、必须审慎选择体罚工具。体罚工具最好是中性的物件，用小竹鞭或柔软的皮鞭，但千万不可用手掌。我个人觉得，手是父母用来向孩子传递爱意的媒介，如果父母经常用掌罚，有可能当看见父亲举起手来抓抓耳朵时，孩子们都会畏怯地逃开。而且，一巴掌打下去，力量控制不当，有可能把小孩的鼻子打歪，或者伤到耳朵和下巴。如果用适当的工具施罚，而且每次按预先制定的家规行事，孩子便永远不必害怕他会遭受到父母毫无来由的惩治。（但是小孩伸手去摸炉子时，那又另当别论。）

四、体罚时下手要重到让小孩叫痛的程度。体罚程度要适当，否则就收不到预期的效果，隔着尿布轻轻拍打是没有什么意义的。不过对2岁以下的小孩来说，小痛即可起到惩罚的效果，千万不要狠狠地抽打。另外选择体罚的部位也要得当，比如只要用小竹鞭在腿上打两三下就够了。

五、要打就在冲突发生时马上打，否则就没必要打了。学步期孩童的记忆力短暂，一超过10分钟后效果就不大了。责打过后，当小孩子眼泪汪汪、楚楚无助的时候，他需要父母亲的拥抱和安抚。千万别把他放在一边不理，要把他搂过来爱抚他，告诉他你爱他，告诉他为什么一定要听妈妈的话，以后别再犯了。这种时刻是极重要的。

别伤害宝宝的好奇心

我提醒做父母的，对儿童在发展和学习过程中的一些自然和必要的行为，千万不可施罚。比如儿童对环境的探索，这对智力的发展和积累来说是非常重要的。成人看到一块水晶玻璃饰物，便知道这个视觉形象的含义是什么。然而学步期的孩童要搞明白这是什么东西，却需要用他的五官来体验、感触。他会将它拿起来，尝一尝，嗅一嗅，使劲摇两下，再往墙上敲一敲，或是往地上一扔，倾听玻璃碎裂时的美妙声音。通过这样的过程，他就学到了一点关于重量、物体表面或平滑或粗糙的质地、玻璃摔了会破和母亲对这件事的愤怒等等功课了。这样的印象累计起来，可以慢慢让小孩子开始明白周围的世界。

当然，我可不是在鼓吹任由小孩把家里搞得天翻地覆的，把家具器皿都糊里糊涂地毁掉。但是父母应该明白一点，指望天性好奇的小孩按手不动是不对的，也是不现实的。父母应该把容易破碎和特别危险的东西收起来，给小孩各种各样迷人的、激发他兴趣的东西，任他自由探险。当他不小心碰了不该碰的东西时，不管那东西的价值有多昂贵，千万别罚他，因为他不知道。

对于危险的东西，比如电插头、炉子和一些不能碰的东西，如电视开关等，父母可事先用郑重的语气告诉小孩："那东西千万别碰！"交代清楚之后，打打指头或掌心通常便可以阻止小孩子。

其实关于如何教养这一年龄段儿童的书籍可说是汗牛充栋。我希望，我的简短介绍可以稍微让父母明白一些管教小孩的"精要"。

在结束对这一生气勃勃的年龄段的探讨之前，我迫切地希望与读者分享一些针对8~18个月的小孩所做的极重要的最新研究成果。这是哈佛大学的一个学前研究计划所做的研究，由柏顿·怀特博士（Dr.Burton L.White）指导下的一个15人研究小组完成。他们在1965年至1975年之间，对8个月至18个月之间的小孩做了深入且广泛的调查，研究小孩在这段时期的生活经验对他日后的智力与健康的影响。研究方法极精辟，结果首载于"美国保护协会"的刊物上，总结如下：

许多证据都指出下列几点：

1.许多证据越来越清楚地表明，一个人的能力与感受性的起点完全奠基于出生后8~18个月这一发展阶段。儿童在这短短的10个月中的经历与体验，对他今后智能发展的影响远超过其他任何时期。

2.在这一年龄段，孩子生活环境中惟一且最重要的影响因素就是他的母亲。怀特博士说："母亲，单单是母亲一个人对小孩子的影响就远超过其他任何人、事、物。"

3.在这段时间里，大人和孩子之间的对话（不包括电视、收音机或别人的交谈在内）对小孩的基本语言能力、智力和社交能力的发展都极为重要。研究结论是：若要小孩拥有一个健全的心灵，最好的方法就是在小孩12个月至18个月之间提供他们一个多彩多姿的社交生活（特别是与父母的交流与沟通）。

4.那些在家里可以自由活动的小孩，他们的身体发育和智力发展比那些活动受限制的小孩要快。

5.核心家庭（指父母与子女组成的家庭）乃是最重要的施行教育的场合。要培养一个自信、能力出众、心态健康的儿童，就必须重视家庭生活，将家庭发展成一个牢固的整体，并增进家人间彼此的沟通交流。

6.最好的父母是那些能做到以下3种主要功能的父母——（1）对儿童生活环境的设计和组织能力极佳；（2）从不拒绝小孩子亲近他的表示，愿意暂时停下手中的工作，乐意花上30秒以上的时间给他的小孩一些个别的教导、安慰和鼓励，交流彼此的感情；（3）他们不但知道如何表达他们对小孩子的热爱，更是一个严格要求小孩守纪律的人。

这些结果对除我之外的所有人来说，是不是都显得难以置信呢？无论如何，这些研究结果，与我的信念恰恰是不谋而合的。

如何培养有个性的孩子

第三章

亲子战争（2 岁到 12 岁）

总之，除非父母能够确定孩子行为背后的动机，
才有可能合理地管教他们。体罚是只在孩子明
知故犯的情况下才施行的方式。

虽然小孩满18个月后，他的身体和情绪的发展会有显著的不同，然而他们还是很喜欢向父母亲的权威挑战。

从孩子满2岁开始，你们之间的意志争夺战就日益表面化，13岁以上的争战，已经属于"青少年问题"，本章其实还是上一章的延续，重点就在2岁到12岁小孩的意志力塑造。

2岁至3岁

2岁的儿童（Terrible Two）最令大人吃不消的是他们常常打翻东西、毁坏东西、吞食难以想像的物品、打碎器皿、把东西丢入马桶和凡事插一手。他们还喜欢做令人尴尬的事情，比如在餐厅对着旁边的人打个大喷嚏，做个鬼脸。不过比起前面的破坏来说，这并不算什么了不得的事情。

在这两年中，如果出现少有的30秒以上的安静，都会使大人感觉惊惶不安。哪个母亲未曾有过类似"毛骨悚然"的经历？打开卧室门，看见她的小宝贝从头到脚，甚至到他站立的地板都涂满了口红；墙上是小家伙亲笔的艺术杰作，中间一个红色的大手印；满室飘着"香奈儿5号"香水的芳香，还给自己的弟弟涂了个满身。要是有机会开个全国大会，让每一个经历过这些"噩梦时刻"的母亲们共聚一堂，听她们叽叽喳喳地数落自己的小宝贝，那肯定是很有意思的场面。

当我女儿丹妮2岁时，有一天早上她突然兴致勃勃地看我刮胡子的过程。她静静地看着我用肥皂洗脸，用剃刀刮胡子，全然一副很入迷的样子。这是有什么事情必定会发生的预兆，我有预感。果然，第二天当我的妻子希莉走进浴室时，发现我们的猎獾狗西吉可怜巴巴地坐在它最喜欢马桶盖子上，丹妮用肥皂泡涂满了它的头，正一刀一刀、煞有介事地把它的小脑袋上的毛剃个精光。希莉大叫一声"丹妮！"吓得西吉和它的"理发师"逃之夭夭。我又好气又好笑地看到那只吓坏了的狗，两只耳朵高高地竖在秃头之上，那实在是我毕生难忘的奇特一幕。我的儿子雷恩在这个年纪的时候，他同样拥有一种把家里搞得一团糟的神奇能力。特别是在午餐时，他比我见过的任何小孩都能打翻杯盘碗盏。一次吃花生酱的时候，雷恩将整只手完全伸入碗底，当他将手拿出来时，连他自己都认不出自己的手了。因为他的破坏倾向，2岁的雷恩从父母口中听得最多的一个字眼就是"一团糟"，它成了他词汇表里最重要、最有效的一个词语。一次我淋浴的时候没把门关严，水溅到了门外，正好雷恩经过，不小心踩了一脚。你猜猜他怎么说？雷恩仰头盯着我，以无比严肃的口吻质问道："这儿的一团糟是不是你弄的？"

如果你有个2岁到3岁之间的小孩，要保持自己的神志清醒，你非得有些幽默感不可。然而你必须要继续教导他服从和尊重父母亲权威的功课。因此上一章提过的几条规则对这个阶段的小孩也是适用的。

虽然这个年龄段的小孩与未满18个月的时候相比，他的身体和情绪都有了很大的发展，可他们仍然喜欢试探和挑战父母亲的权威，这是非常明显的情形。事实上，如果任凭小家伙连续赢得与父母的冲突，他们会变得桀傲不驯、藐视权威，过了第二、第三年之后可就更难对付了。此时，不尊重权威的种子将在他的幼小心灵里播下，进而影响他一生的行为。因此我不厌其烦地提醒做父母的，在孩子4岁之前，务必告诉小孩两件事：

第一，我们爱你之深远超过你所能理解的。你是我们最珍贵的礼物，每一天我都为你的存在而感谢上帝。

第二，因为我们爱你，所以必须教导你服从我们。只有如此，我们才能好好照顾你，保护你免受伤害。

爱与管教联手

健全的父母之道是融合了两大要素的：爱和管教。两者彼此相依，取其平衡。如果一味溺爱而忽视管教，则易养成孩童不知尊重、藐视他人的性格；反过来讲，一个在极端专制、只有高压氛围的家庭里成长的小孩子，常常会觉得受人厌弃、缺乏关爱，并且会从内心憎恶自己的家庭。再说一次，儿童期的父母教育，务必在仁慈和公正、温情和权威、爱和控制之间求得均衡。

实际上，到底应该如何管教一个2岁到3岁之间的"顽皮"小孩呢？一个很有效的办法是罚他们坐在椅子上，让他们静静地反省他们自己的行为。这个年龄段的小孩子往往满身精力，让他们永不安分的小屁股一动不动地粘在板凳上十分钟，这种体验对他们而言是极其痛恨的。因此对某些类型的小孩子而言，这样的惩罚方式远比责打有效，而且能让他们记得更长久。

对于这样的建议，有些父母会反问："如果他不肯坐椅子又怎么办呢？"另外也有许多父母深受小孩就寝问题的困扰，好不容易把小家伙塞上床，一转身他又跳下床来。这正是我描述过的孩子与父母发生正面冲突的例子。如果父母不能叫小孩乖乖坐在椅子上或待在床上，那就是他们还未取得控制小孩的权威。我建议他们最好马上着手改变这种情况。

我的做法是把小家伙抱到床上，然后来段临睡教育："弟弟！这次爸爸可是说话算话的，听不听由你！别再跑下床了，知道吗？"然后，当小孩子的脚一触地，马上用小竹鞭在他小腿肚上轻抽一下，再把鞭子放在他可以看得见的柜子上，告诉他一下床就会挨打。这之后不用再多说什么，尽可放心地步出房间。如果他再犯一次，便按规矩施以惩罚，并把你的告诫再说一次。如此坚持下去，直到小家伙知道他必须服从你为止。事情过后记得要抱抱他，告诉他你爱他，再提醒他睡眠对每一个小孩子都是最重要的，睡眠不足会让他生病。

坚持到底

这种双方都痛苦的对峙，最终目的不仅仅是要小孩子睡觉，更重要的是让他心里认同你的领导权威。我认为太多做父母的缺乏赢得这类正面冲突的勇气，一开始的迁就反而导致后来的心理失衡，到那时更容易发脾气了。斯达克博士在1974年写道："我认为缺少坚持到底的决心，乃是今日美国父母亲管教孩子中最常见的问题。"我也同意这种观点。

4岁到8岁

一旦小孩年满4岁，管教的重心不再仅仅限于他的行为，必须放在注重隐藏在行为背后的态度与动机上。

小孩性格的塑造工作可能相对容易，也可能极端困难，这要视每个小孩的基本性情而定。有些小孩天性温顺、充满爱心和信任；有些小孩却深信周围环境是同他们作对的。有的小孩喜爱给予和与人分享；有一些却生来自私，总是无休无止地提出要求。有些小孩终日笑脸对人，心胸豁达；有些却终日抱怨不停，对每一件事，小到牙膏大到晚饭的蔬菜，他们非挑刺不可。

不过，儿童的态度模式并非一成不变的，通常是反抗与温顺的反应交替出现。换句话说，一阵激烈的冲突和反抗之后（如果父母应对得当），常跟随着一段爱意流露和乖乖合作的时期。可正当父母轻松一口大气，相互庆祝，自以为称职地担当了教养之责时，他们的小蜥蜴可又要变色了。

敢于管教

也许有人要问："这又怎么样呢？为什么我们非得理会一个小男孩或小女孩的态度如何呢？"事实上，有许多儿童教育的专家们，他们建议父母不必在意小孩子那些不讨人喜欢的对抗态度，包括故意顶嘴在内。看看《2岁到5岁》一书的作者伍德·沃德（Luther Woodward）博士在他书中所提出的一些幼稚的劝告——

当你学龄前的儿子或女儿叫你"讨厌鬼"的时候，或是威胁着要把你冲到马桶里去的时候，你是否应该责骂或惩罚他呢？聪明些的态度是把它放在一边，一笑置之……

伍德博士提出了一项正面的措施——如果父母要帮助小孩安然地度过这个口头的暴力期，最快最好的方法就是尽可能理解小孩。当父母们真正明白，小孩子也有愤怒和破坏心理高涨的时候，他们就能更好地控制自己被小孩的脏话所激起的怒气，就可以尽可能地减少这些事件的出现了。随着学龄前儿童敌对心理的逐渐减弱，破坏欲望慢慢消失，爱和感激的天性又能得到茁壮成长了。待到小孩年满6、7岁时，父母便能相机引导小孩，让他们改掉顶撞父母的习惯。

　　最后伍德博士还警告做父母的，这个方法的运用全在于父母的宽容与耐心。他说："采取这个策略时，父母必须具备长远的眼光和沉着的信心——特别是在你的朋友和亲戚们高声反对，并警告你说你的小孩是个小坏蛋的时候。"

　　不过在这种情形中，我倒觉得你朋友和亲戚们的话很可能是对的。这些自由派的论调有一个天真的假设，就是——如果大人允许并鼓励小孩自由发泄他们的脾气，等到他们慢慢长大之后，小孩就会自然而然发展出一套甜美可爱的礼貌态度来。

　　根据伍德·沃德博士的乐观说法，那个小时候朝母亲高叫着"你是个讨厌鬼"的小家伙，到了6、7岁时会来个180°的大转变，突然展开爱心和尊重的胳膊拥抱母亲，变成一个人见人爱的乖孩子。这样的转变简直令人难以相信。伍德·沃德博士这项富于创造性的"了解策略"，换句话说，也就是"袖手旁观"、"束手无策"的策略。他开出的是一张单程车票，会教小孩走到情绪和社会交往的灾难死胡同里去。

　　我在早期的一本书《勇于管教》（Dare to Discipline）中

就表达过自己完全相反的看法：

　　若我们希望小孩善良、善解人意、快乐，就必须教给他们这些品德，而不是仅仅在一旁坐着向往；如果我们想在自己孩子的身上看到诚实、忠信和无私的品质，就必须趁早把这些品质纳入我们的教养过程中；如果我们相信培养出一批自尊自重、能担当责任的下一代是重要的，我们便应该按着这些原则来塑造他们。

　　很明显的是，儿童的这些品德并非全部都是与生俱来的；他们必须通过学习师长的教导来拥有这些品德。若不凭着对小孩子早期的教养，他们便不可能把这些真善美的态度与行为表现出来。然而，许多战后新生代的美国父母亲们却并没有尽到这一关键责任。

父母的榜样

　　父母该如何培养小孩子的良好态度呢？许多父母会发现处理小孩子的正面反抗行为较为容易，但对付他们令人不快的情绪和性格却困难得多。让我先给做父母的两个古老的教训，然后我会提出一个如何管教特别不讨人喜欢的小孩的制度。

　　第一，教育小孩拥有良好品德与态度的最佳方法就是父母的榜样，没有其他的可以代替。有人写道："小孩子最容易学到的部分，往往是父母自以为遮掩得天衣无缝的部分。"这是一个非常有洞见的说法。我们的孩子时刻在仔细观察我们，他们本能地、自觉地在模仿我们的行为。

因此，如果我们自己脾气暴躁、自私自利，便不太可能指望我们的孩子善良而慷慨；如果在家里我们从来不知道说"请"或"谢谢"，我们就无法教给小孩感激之心；如果我们让他们在电话上向收账的人谎称"我爸爸不在家"，我们就无法培养出诚实的下一代。小孩会马上识破我们言行不一致的地方。在两种相反品行的选择之间，他们往往越过我们空洞的说教，而照着我们的行为去依样画瓢。

第二，其实，我们需要教给小孩的良好品德，如诚实、尊重、仁慈、爱和人的尊严，以及服从、负责和尊敬长者。

换句话说，我们无法在每天两分钟的训话中，教会小孩这些功课。我们必须从早到晚把这些美好的品性表现出来。我们必须在日常生活和谈话中不断地利用机会教育鼓励小孩，向他们举出现实的例子。以身作则或用处罚的方法来强化他们对这些品德的认识，我相信，这是上帝赋予做父母的一项最重要的责任了。

具体的途径

最后我提供一个办法来管教6岁或6岁以上个性倔强、态度对抗的小孩，当其他形式的办法都不管用时可以用它。这个方法可以特别用来对付那些极难讨好、抱怨不断、惹得全家鸡犬不宁的小孩。这类型的小孩缺乏自控能力、对四周的人和事极尽挑剔挖苦之能，一发起脾气长达数星期之久。对付这种小孩，必须先找出需要他们改进的具体环节，一旦他们在这些地方有所进步时，就奖励他们。抽象的品德概念对于一个6岁或8岁大的小孩子来说是无法完全理解的，我们需要用他能够明白的具体行为来说明。

针对这个目的，我设计了一个操行评分图表，如下所示：

图3： 操行评分表

日期：_____

我对…	极优 1	良好 2	尚可 3	恶劣 4	极劣 5
我对母亲的态度					
我对父亲的态度					
我对姐姐的态度					
我对朋友的态度					
我对工作的态度					
我对睡觉习惯的态度					

赏罚规则

6~9分	全家乐
10~18分	无赏也无罚
19~20分	关禁闭1小时
21~22分	罚1板子
23分以上	罚2板子

在这个表格中把一些内在的品行数字化，变成一些具体

的项目。

必须记住，这种表格对那些只是偶然出现情绪低潮的小孩，或因生病、疲劳、环境变化而产生暂时性不良情绪反应的小孩子并不适用。它是一项矫正工具，用来帮助那些顽固的、常常发脾气和不知尊敬他人的小孩，让他明白自己的问题所在。操行评分表的评分项目和赏罚办法，可经由父母与小孩事先讨论，拟定出来。记住复印足够的份数，每天用一张，临睡前，由父母根据表上的各个项目给予适当的评分，再累计总分。

对儿童来说，这是客观公正地评价自己表现的方式，不过父母一方倒可以用点技巧。比如第一天，可以让评分落在比较危险的18分左右，虽然够不上惩罚，却有警告的作用。总的来说，有一点很重要——如果顽皮的小孩没有受到惩罚，或是小孩用心改进了，却得不到事先定好的奖励，那么这个制度就一点作用也没有了。这个方法的根本目的就是，以小孩子可以理解的方式来实施赏罚，用以培养小孩更好的品行。对那些还没有数字观念的小孩，可以把总分用图表画出来。

我当然不指望每个人都赞同这种表格的方式，也没奢求人们都采用它。事实上，那些拥有一个温顺、乖巧的小孩子的家庭可能会疑惑：真的用得着这么干吗？我想，这对那些为自己的坏脾气孩子而焦头烂额的父母是很容易理解的。采用或不采用，当视你自己的家庭情况而定。

9岁到12岁

比较理想的状况是，到孩子长到9岁时，早期悉心教养所奠立的良好的基础，已经可以使管理的尺度放宽了。一年年过去，随着小孩年龄的增长，应该给他们更多的自由了。纪律条规应该逐步减少，直接的约束也该放松。当然，这并不意味着儿童1到10岁就可以完全独立，完全自行操持自己的事务。我只是说，做父母的现在可以比孩子6岁时允许他更多地决定自己生活上的事情，同时让他明白随着年岁渐长，他该逐渐负起一些生活上的责任了。

向体罚告别

在这个年龄段，体罚应该尽量减少，因为随后就是孩子的青春期了。当然，有些个性倔强不易管教的小孩仍然在自找苦头，除了满足他们的要求，父母们别无选择。对大多数个性温顺的小孩而言，在10岁（甚至是6岁）之前，便应该向体罚告别了。

在这个青春期前的年龄阶段，最重要的目标应该是教会小孩，任何行为都会产生不可避免的后果，他应该学会对自己的行为负责。自由社会的一个最大的危险就是，儿童不能把行为和行为的后果联系在一起。我们常常能看见这样的情形——3岁大的小小孩对母亲辱骂吼叫，而他的母亲却站在一旁张口结舌、不知所措；一年级的小学生动手攻击老师，学校却因他年幼而不采取任何措施；10岁大的小孩到店里偷糖吃被抓住，却由父母出面道歉领回；15岁的少年不够开车年龄却偷拿了父亲的汽车钥匙，开车被警察拘留，而由父母缴了罚金了事；17岁的小青年开着他的"雪佛莱"汽车横冲直撞，撞坏了公用电话亭，仍由父母替他掏腰包赔偿。你瞧瞧！在孩子整个成长的过程中，溺爱的父母们似乎决意要处处干涉"行为与行为后果"之间的联系，失掉了宝贵的让孩子学习教训的机会。

任他吃点苦头

这样，当一个年轻人长大之后，他（她）极有可能对这个世界的生存现实一无所知，不明白一分耕耘、一分收获和种瓜得瓜、种豆得豆的道理，也不知道不负责任的结果往往是悲哀和痛苦。这样一个年轻人若申请到自己第一份工作，很可能第一个星期便迟到三次，挨老板一顿训斥后便被解雇。于是他感到满心挫折、愤世嫉俗。这是他生平头一次没办法让亲爱的爸爸妈妈来搭救他、替他收拾烂摊子。不幸的是，许多做父母的对他们已经长大而且离家工作的大孩子仍然不懂得放手，凡事保护。这种舐犊之情是可以理解的，但后果是什么呢？父母的过分溺爱与保护会造成孩子情感上、心理上的残疾，使他们养成长期依赖的个性，变成永远长不大的"成人"！

如何让孩子学到行为和行为后果之间的联系呢？最好的办法是，当小孩做事不负责任时，在合理范围内父母必须情愿任他吃点苦头。当小杰克拖拖拉拉、东游西逛而误了校车时，就该让他自己走上一两英里赶去上学（除非走路不安全）；如果小丹妮粗心大意丢了午餐的钱，就让她饿一顿好了。不过有时候，这样的教育原则若走得过分极端，对一个心智和身体都没发育成熟的小孩而言，可能会太严厉和不知变通了。最好的办法是针对小孩的年龄和智龄，来制定合理的责任范围，偶尔任由他们自己体验不负责任的后果。

对孩子进行机会教育

我想再举个针对11~12岁孩子的例子，可以用这个事例来教育他们。这个故事来自于美联社在一次日蚀之后所发的消息：

一个15岁的女孩儿安娜，她知道裸眼盯着太阳看的危险。现在她成了这种危险的活例，因为她瞎了。

3月7日的日蚀出现时，安娜"透过窗户短短地看了一阵"，尽管她曾从书上读到过这样做的危险性。

"不知为什么，我就是忍不住要盯着日蚀看。我想我是被天空中发生的事情完全迷住了。"安娜对记者说道。

"在我盯视的过程中，根本没出现眼睛疼痛或者不舒服的感觉。我站在那儿一直看了4到5分钟。这时妈妈发现了我，把我从窗子边拖开。随后我的眼前出现了一些光斑，但我没想那么多。"

直到几个小时后，安娜在街上散步，当她看红绿灯时，她突然发现自己看不见红绿灯显示的标志。她开始感到恐慌，马上转身往家走，快走进家门的时候，她发现自己感觉像"走在一片漆黑中"。

此时的安娜"已经预感到可怕的情形发生了"，她又担心又害怕，直到第二天才敢把这件事情告诉父母。

"我哭了又哭，我不愿意失明。上帝知道我有多害怕自己的余生会生活在一片黑暗中。我不断乞求噩梦结束，希望突然之间我又能看到了东西。可眼前的黑暗却黑得更厉害了。我害怕极了，我没听父母的话和其他人的告诫。我已经不可能再返回去把事情重新来一遍。已经太晚了。"

当安娜把事情告诉了父母，他们马上带她去看眼科专家。此时医生也只能摇头叹息，他们没法使小女孩儿重新获得视力。安娜的眼睛90%失明，剩余的视力只能模糊分辨出近处大型物体的边缘轮廓。

父母为安娜请了一位家庭教师，让她可以勉强跟上学校的课程。她不得不开始学习适应黑暗的世界。

你给小孩子读过这个令人心痛的故事之后，可以紧接着对他们进行机会教育。"儿子，安娜之所以遭遇这么悲惨的事情，是因为她不相信老师和父母的话。她只相信自己当时的判断和感觉。我给你读这个故事，希望你能明白，你可能很快会遇上与安娜类似的情形，我们担心你犯同样的错误。等你到了十几岁的年龄，我们会禁止你去做很多可能伤害你的事。比如，有人会给你迷幻药，表面上看来没什么害处，吃了也感到挺舒服的。你可能像安娜一样，等到明白真正的后果时，已经悔之晚矣！

"因此你一定要记住我们给你的一些警告，千万不要太相信自己的判断。有许多人在年轻时犯错，会影响到他今后一生的生活。做父母的责任就是帮助你避免犯类似的错误。最终说起来，只有你自己能够确定自己的脚步，选择自己的道路。你可以选择接受自己的直觉，像安娜那样；你也可以相信我们事先警告你的话。我相信你会做出正确的决定。看着你日渐成长，我们真是感到非常欣慰。"

带他们到户外去跑

对小孩这个最后的童年期，要说的东西非常之多，可时间和篇幅都不允许。总之，10到11岁这段时间往往是父母和小孩子之间能够极亲密、能够毫无掩饰地表露爱意的最后一段时期。所以尽可能地享受亲情吧！接下来就是一段让大人手忙脚乱的青春期了！（因为青春期十分重要，我把它留在后面另辟一章来讨论。）

最近我与妻子一同去巡回演说，只好把两个小孩托给他们的外祖父母照顾一个星期。我的岳父母是两个大好人，非常疼爱丹妮和雷恩。可是两个蹦蹦跳跳、难得清静片刻的小东西，是足以把任何脾气最好的大人弄得神经衰弱的，何况是两位年届退休的老人呢？当我们旅行回来，我问我的岳父，小家伙是否听话，有没有给他们找麻烦？他操着他的北方口音大声回答道："不，一点没有！他们都是非常可爱的孩子！不过最重要的秘诀是，带他们到户外去玩耍！"

也许这就是最好的管教建议了——许多行为上的问题都可以通过避开那些造成问题的环境来防止。尤其是对那些在拥挤嘈杂的都市中成长的男孩女孩，也许最好的办法是多带他们到大自然中去。这绝对是一个不错的主意。

问题解答

问：教养小孩的最终目的，在于使他们学会自律和自立。如果这个目标没错，那么你这些通过外在纪律实施的管教办法，如何能够转化成小孩内在的自制力呢？

内在的自制力

答：这是个颇具挑战性的问题，同时也表明你对儿童并不是很了解。有很多专家和权威们反对管教小孩，所根据的理由正好与你的问题相仿。他们希望小孩可以自动自发、自觉自愿。可是由于小孩身心发育未臻成熟，他们非常缺乏自控的能力。如果在儿童时期，听凭小孩自由发展，缺乏外在或内在的权威与纪律来约束他们——他们从不做任何他们所不喜欢的工作，他们从不接受他们所不乐意的命令，他们根本没养成对长辈顺服的习惯。对这样的小孩，你怎能指望他们长大之后，会自动自发地约束自己呢？我可不认为这种做法行得通。在儿童阶段，他们连"自我约束"到底指的是什么，都不是很明白呢！

外在的约束力

答：我觉得父母应当在小孩年幼时，用外在的纪律帮助小孩培养自我管理和自我控制的能力。父母通过这些规定要求小孩对自己的行为负责，让他们逐渐学会如何控制自己的冲动与能力。待到他进入青少年期之后，就可以逐渐把管理的责任从父母的肩膀上移到小孩自己身上。父母不必再强迫他去做一些童年的规定任务。比方说，孩子年幼时父母可以要求他把自己的房间整理干净，到了十三四岁以后，他应该可以自己来做这个决定，自动自发地整理房间了。实在不行，父母大可闭上眼睛，任他居住在狗窝样的房间中，看他是否可以忍受得了。

问：我对如何处理自己孩子的行为一直没有完全的把握，你是否可以明确告诉我一些具体的事例：到底哪些行为该受惩罚，哪些行为可以不加理会或采用别的委婉的办法来处理呢？

答：乐意从命！让我列举一些不同年龄段小孩的行为，你可以先自己思考一下，看看你想到的处理办法是什么？然后你再参照我的建议。（这些是由许多父母提出来的实际例子。）

事例1：我2岁大的儿子从来没法安安静静地坐在教堂里，这事让我颇为生气。他明知道大人不希望他在这样的场合吵闹，可他有时用玩具敲座位，有时发出很大的叫声，我应不应该为此责打他呢？

建议：这位写求助信的母亲显然对两三岁的小孩不太了解。要求一个2岁大的小男孩，安放两手静坐在教堂里面，比要求他在大西洋里游泳还要困难，几乎是不可能的。他们一醒来就扭动不停，直到筋疲力竭再度睡着为止。不，他们不该为此而受罚。父母可以把他留在育婴室里，任他自由活动，这样便不会打扰正式的场合了。

狮子来了

事例2：我4岁大的儿子从外面进屋来，告诉我他在后院看见了一只狮子。他并不是在开玩笑，他是真心要我相信他的谎话。当我表示不相信他时，他便非常生气。我们希望他长大后成为一个诚实、可信的人。我想问，遇上这种情况时我该不该打他呢？

建议：当然不能打。学龄前儿童的脑子里，幻想和现实之间的区别并不是非常明晰。他常常会把两者混淆在一起。在我儿子雷恩3岁大时，我带他去迪斯尼儿童乐园玩。当他看到那只大野狼追着三只小胖猪的模型时，他真的被吓坏了。他只看了那只呲牙咧嘴的大野狼一眼，就尖叫起来。我用随身携带的摄像机录下了小雷恩投入母亲的怀抱寻求保护这动人可贵的一幕。回家之后，我告诉雷恩在狼皮服装下其实藏的是一个"大好人"，他不会伤害任何人的。雷恩听了如获大赦，要求我再三重复——

他说："爸爸！"

"什么事，雷恩？"

他说："再给我讲讲那个大好人的事！"

你瞧，雷恩正在区分虚幻的角色和真正会威胁到他的健康和安全的事物。我猜这个问题中的狮子也是源自于同一种类型的困惑。小孩心里可能是真相信后院有只狮子，做母亲的最好一面顺着小孩的口气，一面让他明白你心中并不真的如此相信。这时，母亲可以说："老天！后院有只狮子呀！我真希望他是一只对人友善的老猫咪。现在，宝贝！洗洗手进来吃午饭啦！"

不要啰嗦

事例3：我6岁大的儿子，这阵子在家忽然变得很没礼貌且爱顶撞大人，我让他把垃圾拿出去倒了，他回答我："烦死了！"等他脾气再一上来，他竟直呼我的名字。我觉得让他发泄情绪是很重要的，所以我没有加以制止，你是否赞同我的做法呢？

建议：我万分不同意你的做法！你的儿子明知故犯，他正在测试你的容忍程度、看你的反应呢！若你不采取行动来纠正这种行为，会一天天恶化。每次事件都会进一步强化你儿子心里的不敬之心。若你再不加以制止，到了青春期他会变得益发狂暴难以管束了。因此，对小孩直接侮辱父母或师长的态度，或有损长辈尊严的行为，惩罚是非常必要的，尤其当小孩明知自己的行为错了的时候。

至于发泄愤怒的问题，你可以找到办法既允许孩子表达自己内心最强烈的感受，又不能带有侮辱和不尊敬的态度。当孩子流着眼泪控诉道："你不公平！为什么要当着我朋友的面使我难堪呢？"这时，因为他讲出了自己的理由，你应该接受他的指责，以平静诚挚的态度来面对他。但是父母绝不能容许自己的孩子向你们大吼："你是个大笨蛋！你从来没有把事情做好过！"前面流着泪的怨诉是基于特定事件而发出的真情实感的表达；后者的吼叫却是对父母的尊严和权威的肆意攻击。在我看来，这种攻击对两代人的情感是破坏性的，必须加以制止。

想办法让他记住

事例4：我10岁大的儿子在用餐时常常把牛奶放得太靠近他的胳膊肘，打翻牛奶次数至少有六次，我一再告诉他把杯子移开一点，然而他根本不听。当昨天他又把牛奶打翻时，我怒气冲冲地拉他起来，用皮带狠狠抽了他一下。今天，我对昨天发生的事深觉不安，我是否应该表现得更有耐心才对呢？

建议：要一位为孩子大伤脑筋的母亲别发火，我在一旁说说倒是很容易的，到底不是由我去清理打翻的牛奶呀！不过就这件事情本身来说，你的小孩并没故意要打翻牛奶。事实上，他无心犯错，是为自己的不负责任挨了体罚。我觉得更好、更理性的处理方式，是设计一个方法来抓住他的注意力，帮助他用餐时记得把杯子放到安全的地方。比如你可以用红纸剪出个"危险区"的标志，贴在盘子旁边。如果小家伙把杯子放在红纸上，他就必须负责饭后洗盘子。用了这个法子，我可以担保他再也不会忘记了。事实上，等过了一段时间后，即便你把纸拿开了，很可能他还是会自觉注意到杯子放置的地方。

事例5：乔恩已经上小学二年级了，常常在学校调皮捣蛋。上个月老师让他带一张字条回家，告诉我们乔恩违反校纪的行为，他却擅自把条子扔掉了。一直到几星期后开家长会时，我们才发现他撒谎，没有把字条带回家，我们该怎么处理这种行为呢？

建议：这是故意违抗大人的行为。如果换成我，调查清楚事实之后，我会先揍他一顿，这是为他在学校肇事且欺骗父母所必须给予的惩罚。事后，我再与他的老师谈谈，了解他为什么不守校纪，并思考孩子为什么不敢把纸条带回家（有没有我们态度上、管教方法上的问题呢）。

任何地方都敢管教

事例6：我3岁的女儿在百货商店里故意跟我捣蛋。当我叫她时，她偏偏躲起来，还要求我为她买糖果、口香糖和蛋糕。我一拒绝她的要求，她就当场大发脾气，引得旁人侧目，那情形真让人无地自容。我不愿意当众惩罚她，她心里也知道这一点。遇上这样的情形，我该怎么办呢？

建议：如果小孩知道在某些场合之下，父母平时的管教和纪律不管用，那么她往往会在这些"保护区"里就会有异于别处的表现。我建议你下一次要逛百货公司之前，先同女儿讲好，明确告诉她你所要求的，让她清楚你会说到做到的。如果她又耍同样的把戏时，把她带到汽车里或百货公司后面僻静一些的地方，照你事先说过的修理她一顿，下回她就会学乖了。

事例7：我儿子都2岁了，还没学会控制大小便。不过我的岳母觉得这个年龄的小孩子应该可以控制大小便了。当他尿在裤子上的时候，我该不该打他呢？

建议：告诉你的岳母，让她冷静一点。2岁的小孩子仍然不能控制大小便，这种情况是完全有可能的。我不赞成你动手打一个2岁的小孩，因为他还搞不清楚是什么使他招来这种惩罚的。在你还不太确定孩子是否有控制大小便的能力时，你最好慢些、耐心些。而且，培养小孩控制大小便的最佳办法用奖励。当他乖乖上厕所时，给他一根棒棒糖（或不甜的糖）。待到你能确信他能够控制大小便时，再要求他对上厕所这件事负责吧！

把规矩定清楚

总之，除非父母能够确定小孩行为背后的动机，才有可能合理地管教他们。我再说一次，体罚是只在小孩明知故犯的情况下才施行的方式。

"但是如何确定他们是否明知故犯呢？"已经有上百位的父母问过我这个同样的问题。一位母亲问我："我让查可去洗澡的时候，他理都不理。我知道他这种态度是不服从，但我并不知道他心里在想些什么呀？"针对父母们这种左右为难的处境，有一种非常简单明了的解决办法——把第一次的事件，作为下次事件的参照，看小孩是否是故意。第一次时，你告诉你儿子："查可！你刚才回答妈妈的态度很不好，知道吗？我不清楚你为什么要这样，但是下次别再对妈妈这种态度了。"如果下次同样的事情又发生了，那你就可以断定他是有意的。

很多父母因为事先没把规矩定得清清楚楚的，事到临头自己也难免犹豫不决，不知该采用怎样的管教办法。如果你对自己的孩子什么可以做、什么不能做都模糊不清，那你的孩子就只能是加倍地无所适从了。

因此，你应该先把规矩定得再清楚不过，然后再根据它们来管教孩子。这样的话，大多数的小孩都会接受它们的，违反它们只会是偶尔的例外。

如
何
培
养
有
个
性
的

孩
子

第四章
保护孩子的志气

人类的意志绝非柔弱易折，即便是一个小孩,他的意志力也像是被沙袋牢牢护住的、钢铁一般的坚强,既能威胁他自己,也能威胁身边的大人。从另一方面来说，小孩子的志气比起他的意志来,却是千百万倍的柔弱。就像一朵精致的花,很容易被压断和被摧毁。

志气，是小孩心目中的自我价值和尊严，它是人性中最脆弱的特质，极易受到拒绝、嘲笑和失败的残害，那么，父母应当如何塑造小孩子的意志力却仍保全他的志气？

当我建议父母该如何管教个性倔强的孩子时，有一个潜伏的危险。读者有可能会认为我视孩子为恶棍，而父母亲却永远是"好人"。更让我担忧的是，他们甚至会误以为我提倡父母采取严厉、粗暴和压迫的方法来管教小孩。我必须说，以上这两种看法都是完全不正确的。

"爱心"与"温柔"的浇灌

相反地，在我看来，孩子（即便是那些挑战权威的小孩）像一群脆弱的小生物，每天都需要用大量的爱心和温柔来浇灌他们。对我来说，当我教导做父母的该如何管教小孩的时候，最大的困难在于怎样向他们传递一种"均衡环境"的观念，即爱心和管教的平衡。一方面，管教是固不可少的，但与之相伴的应该是耐心、尊重和爱。我从未建议父母以"你给我闭嘴"的武断方式来对付小孩。这种敌视的态度不但伤害孩子的自尊心和志气，而且挂在嘴上也是很难听的。

被虐待的小孩

现今社会到处有虐待儿童的事情发生，再没有比这更教我痛心的了。就在我写着这些字句时，美国处处都正有许多小孩惨遭父母的荼毒，造成终身不愈的身心创伤。有些送到

如何培养有个性的孩子

我们医院的小家伙，他们的惨状，实在令人难以想像。这些小孩身上满是烧伤、瘀青和骨折，小小的心灵更是塞满了永难抹去的恐怖记忆。

作为一个职业医生，每次接触这些受伤的小孩，我都必须学会控制自己的感受。我自认是个颇能控制个人感情的人，但每一看到受大人虐待的小孩，胸中都会涌起一股难以抑制的愤怒。生病的小孩固然痛苦，却能感受到无微不至的双亲的爱意，得到情感上的抚慰。可是受虐待的小孩，在身体和心灵上都遭到了巨大的创伤，没有人关心他们，了解他们。他们没有人可以倾诉自己的渴望，也没有地方可以逃避，他们不明白自己为什么招致父母的憎恶。他们年龄幼小，根本不知道如何自卫和求助。

今年春天，我碰到一个8岁的小女孩，从她14个月开始，便遭到终日酗酒的父亲不断的性侵扰。多么可怕的悲剧！另有一个住在洛杉矶的小男孩被母亲用剃刀划破了双眼，完全失明。他一生的残疾竟来自于自己母亲的蓄意伤害，你能想像他惨痛的内心体验吗？在我居住的城市，有婴孩被大人从高速公路上抛出车窗，有小孩被大人用滚热的熨斗烫伤。在不到5分钟以前，电台广播了一条新闻，说有人发现一个10岁的小女孩儿被父母拴住脚踝，倒掉在车库里。

对我们这些长期从事儿童工作的专业人员来说，这些可怕的故事是再熟悉不过的了。事实上，也许就在几幢房子之外，便有虐待小孩的事情正在发生。美国国家儿童保护协会的律师布赖恩·G.弗雷泽（Brian G.Fraser）曾撰文说："从前我们认为虐待儿童，基本上是发生在那些贫穷和低收入阶层人群中的问题……如今却成了社会各个阶层普遍存在的情形，而且遭受虐待可能是现在全美儿童死亡的首要原因。"

奴隶与主人

对于父母虐待子女的行为，我是绝对深恶痛绝、难以容忍的。我想再申明一次："我反对严苛而僵硬的管教方式，即便他们是出自父母的良好意愿。应该给孩子们足够的空间去呼吸、去成长、去爱。但是完全的放任和自由也会产生一些问题。许多做父母的往往在两个极端之间摇摆，他们为了防范掉进这个陷阱而大踏步走进另一个陷阱。比契尔（Beecher）夫妇在他们的书《忙碌的父母》（Parents on the Run) 中，对这两种极端的管教方式可能产生的危险，有极精彩的描写：

往日大人至上的家庭中，大人是主人，孩子是他们的奴隶；然而在如今孩子至上的家庭中，小孩变成主人，大人反倒沦为奴隶。如果仅仅是这种主人和奴隶的关系，不管它怎么倒转，是不可能产生出真正的合作，由此也无所谓民主可言。不管是严厉僵硬的权威方式，还是现代"凡事放任"的管教方法，都不能焕发个体的才智，使孩子成长为自信和自立的人。

在武断且毫无商榷余地的清规戒律下成长的小孩，他们或是变成优柔寡断、缺乏决断的碌碌之辈，或是变成激进的反叛者，终生把精力消耗在与周围的人事起冲突、闹革命上。在放任自由的环境下长大的孩子，他们只知道按自己倏忽而来、倏忽而逝的冲动行事，往往掉进自身欲望的陷阱，缺乏对社会、对他人的责任感。不管是用上述哪一种方式教养，孩子都不可避免地成为奴隶——前者完全依赖大人（或领导）来告诉他们做什么；而后者却又完全被自己的个体喜好所控制。

两者都无法提升社会的价值和尊严。若是能够只是修剪枝叶，而保持了挺直的树干，使它不偏不倚地生长，便可以避免终生的不幸了。

然而应该如何本着我们孩子们的福祉来达到这一原则呢？做父母的应如何在放任和专制之间巧妙地把握尺度呢？又有哪种哲学可以作为我们的指导呢？

意志力与志气的区别

我们管教的目的不单在于塑造儿童的意志和个性，更重要的是如何在塑造的同时避免损害他的志气。到底该怎么做呢？首先我们必须了解意志和志气两者间的区别。我已经说过，意志力是促使孩子人格形成的一股巨大动力，它是人类与生俱来的几种智性因素之一。

在最新一期《今日心理学》（Psychlology Today）中，有一篇对婴儿的研究文章，题词中说到："婴儿还在学会说话以前，就已经知道自己是谁了。他具有控制他的环境尤其是他的父母的能力。"这个科学研究对一个拥有强悍意志的小孩的父母来说，其实算不上新发现——在夜阑人静之际，他们仍然辛苦地抱着小家伙来回踱步，专心致志地捕捉小家伙以身体和哭声发出的清晰意愿，对他的要求惟命是从。

钢铁般的意志力

再大些，一个倔强强硬的学步期小孩，他发起怒来可以紧闭嘴巴和鼻子，直到自己喘不过气来、甚至晕倒为止。一旁观看的大人，都会被他强硬的意志感到震惊不已。最近我听说有个3岁的小男孩，他不仅拒绝服从母亲的命令，并且还对她叫道："你要知道，你只不过是我的妈妈而已！"另一位"只不过是妈妈而已"的母亲写信给我说，她也和3岁的儿子发生过相似的正面冲突。当她坚持要求他把碗里的东西吃掉时，他对她的态度愤怒至极。接下来的整整两天，他拒绝吃喝任何东西。虽然他浑身无力、四肢疲软，可这3岁的小家伙仍然要执拗地顽抗下去。他妈妈一边担忧一边内疚，表现得可能正如小家伙期望的那样。最后还是父亲在绝望中使出一招，他两眼盯着小孩警告他，如果他还不肯吃晚餐，就会挨一顿让他一辈子都忘不了的好打。这样，才结束了两天的战役。小家伙认输了，抓起东西就吃。结果，他把冰箱里可以吃的东西一扫而空。

也许你可以告诉我，为什么许多儿童发展权威们，他们意识不到这是意志的战役呢？为什么他们的著作中绝少提到这类的事情？我的猜测是，如果他们承认小孩的不完美，这与他们所持的人文主义观念是不吻合的。人文主义者认为，儿童天生被赋有种种光明、纯洁的品性，邪恶乃是后天习得的。对这些怀有此类玫瑰色憧憬的人，我只能说："睁开眼睛再仔细看看吧！"

人类的意志绝非柔弱易折的。即便是一个小孩，他的意志力也像是被沙袋牢牢护住的、钢铁一般的坚强。既能威胁他自己，也能威胁身边的大人。这样的一个人可以坐在桥栏边上，威胁着要往下跳，使得整个军队、海军和警察局的人忙着救他的命。不过我相信，意志力是具有可塑性的。它能够被塑造和陶冶——这并非为了我们自私的目的去使他变成一个没有生气的机械人，而是给予他一种控制自身冲动的能力，使他在今后的生活中学会自律。事实上，这是我们的责任，我们应该以适当的方法去塑造小孩子的意志。

脆弱的志气

从另一方面来说（我想强调下面这一段具有特别的重要性），小孩的志气比起他自己的意志来，却是千百万倍地柔弱。就像一朵精致的花，很容易遭到被压断、被摧毁（即便是出于无心的）。志气，根据我的定义，乃是小孩心灵中的自我价值和尊严感。它是人性中最脆弱的特质，拒绝、嘲笑和失败最容易给它造成致命伤害。

那么，父母怎样才能在塑造小孩意志的同时又能保护他的志气呢？要达到这个目标必须先制定合理的规范，再带着爱心来实施它们。在管教小孩的同时，千万不能让他们觉得自己是个不受欢迎、多余、愚蠢、丑陋、傻、麻烦、惹人讨厌，或是一个根本不该来这个世界的人。任何这一类对小孩人身攻击的言行，都会产生极大的冲击。比方"你真笨！"或是"为什么你的成绩就不能赶上你的姐姐？"或"打生下来那天起，你就只会给我惹麻烦！"这样的话只会伤到小孩的自尊心。

野性的比利

下面的信是一位有着三个小孩的母亲写给我的，正好作为我上面所提原则的一个反面例子。我相信我们若能思考一下这位母亲所遭到的挫折，以及她之所以对她那明目张胆反抗的儿子比利束手无策的可能原因，这对我们将有许多帮助。

亲爱的杜博士：

拥有一个幸福的家庭是我一生所渴望的。我有两个女儿，一个3岁，一个5岁。我还有一个10岁大的儿子。他们兄妹间彼此敌视、形若冷战；而且男孩跟父亲的关系也很不好。而我呢？我发现自己经常对孩子们大吼大叫，常常不得不坐压在儿子身上，以免他踢打他的妹妹们。

上学年，老师对他的评语是，他非常需要进一步学习如何与他人相处。他在校园里惹事生非，在校车上闹得鸡犬不宁。每当下了校车步行回家的路上，他非得与什么人打一架或者向某人扔几块石头。所以我通常都是自己到校车停靠的地方去等他，把他领回家。

他天生聪明，但字写得极差，而且很不耐烦坐下来写。他脾气暴躁，性子又急（现在一家人的脾气也都变得与他一样了）。与同龄孩子相比，他长得又高又壮，我们的小儿科医生夸他"得天独厚"，然而比利极少有兴趣做一些建设性、创造性的事情。他酷爱看电视，泡水玩儿和在泥巴里挖洞。

我们对他的饮食习惯非常失望，却一点办法也没有。他只喝牛奶，吃果冻、饼干和面包。以前一段时期，他喜欢吃一大堆热狗和红肠，最近倒是吃得不多了。他也贪吃巧克力和口香糖。他的祖母就住在我们家附近，她总是不断地塞给他这些东西，还给他吃婴儿食品。对他祖母的做法，我们也不好说什么。

比利的老师、邻居小孩、包括他的妹妹们，对他诅咒和辱骂他人的言语都极为不满。这种情形真是糟糕透顶，人们（包括我）都认为他只会惹事，不可能做出什么好事来。毕竟他几乎没有一天让我们安生过，不是打破什么，就是惹谁生气了。他刚学会走路，就打破门窗玻璃了。今年6月时，有一天他提早放学回家，发现房门锁着，他便捡起一块石头打破窗户爬进屋子。前几天他还把卧室的镜子划破了。他常常跟着祖母，而她总是纵容、溺爱他。我们觉得祖母给了他很坏的影响，可我们自己也好不到哪儿去。我们总是大发脾气，高声吼叫。

唉，我们家真是陷入了毫无希望的境况。他长得越来越高壮，可从不变得稍微听话一点、讲理一点。我们应当怎么办呢？我们该从什么地方着手呢？

我的先生说，他再不会带比利去外面的任何地方，除非他变得比较成熟，举止像个有教养的人。他甚至威胁过要把比利送到孤儿院去。作为母亲，我做不出送自己儿子去孤儿院的事情。他需要一个知道如何教育他的人。请务必帮助我们。

比太太

错误的管教角度

这是一封非常悲哀的求助信，因为比太太信上说，拥有一个幸福的家庭是她一生最大的渴望。可是从信的字里行间透出的语调，她的愿望看起来几乎毫无实现的可能性。事实上，她的与家人和平共处、一家和乐融融的迫切愿望，可能正是导致比利种种行为的原因。这位母亲在管教儿子的问题上，犯了两个重大的错误——

应及早塑造意志

第一，比利的父母未能采取任何步骤去塑造比利的意志。其实比利的所作所为，是在呼唤他们的注意和关心。毕竟，要求一个10岁的小男孩自己当家作主是一件很可怕的事——他周围竟然找不到一个大人能够让他从心里肃然起敬！这就是为什么他要做违反一切规章，挑战所有权威的代表。

比利向学校老师挑战，然而老师们束手无策，只知道打电话通知比利那同样不知所措的母亲，告诉她："他需要学习与其他人相处。"（她的措辞简直太彬彬有礼、太轻飘飘了，她不能对比利在学校里的所作所为有一些更有力、更精到的说法吗?）

比利在校车上是别人无法忍受的毛小子，他在回家路上与同学打架、打破窗子、划破镜子、满嘴污言脏语、欺侮妹妹们。他选择吃那些最无营养的垃圾食物、拒绝完成作业，也不承担任何责任。毫无疑问，他是在心中呐喊着："你们瞧瞧！我就是要捣乱，你们难道一点也不在意、不关心吗?

难道没有人能够帮帮我吗？我恨这个世界，这个世界也恨我！"

但是比太太对比利叛逆性的行径，只是回以极端的挫折与绝望。她只会"朝孩子们吼叫"，在比利不守规矩的时候"坐压在小孩身上"。比利冲动易怒，然而比太太承认他们全家人都变得一个脾气了。比太太和她丈夫认为是祖母给了比利坏影响，但是他们自己经常发脾气、高声嘶吼，也不是好榜样。你瞧！比太太管教儿子的惟一"武器"就是愤怒和高声的哭号哀泣。把这种火山爆发式的情绪发泄，用在管教小孩子上，真是再恶劣、再无效不过的了。

很显然，比家夫妇已经放弃对家庭的领导权。请注意看看，她有多少次表达过"无能为力"、"毫无办法"的意思。他们对比利糟糕的饮食习惯"无能为力"；对比利的祖母无限制地供应他糖果和口香糖也"毫无办法"；同样地，他们对比利的污言秽语、对他欺负妹妹、对他打碎玻璃、对他朝同学扔石头，对这一切恶行，他们则"束手无策"。我们身为旁观者会问："这怎么可能呢？怎么不转个弯呢？干吗要径直往礁石撞上去呢？这个家庭的航船是怎样搁浅在沙滩上的呢？"

理由很简单，船上没有船长！船只能在海上毫无目标地漂流，因为少了一个导航人——一个做出决定和具有权威的人。缺少了这样一个人，谁能够引船到安全的水域去呢？

损害了志气

现在，来看看比家所犯的第二个错误：他们对比利令人头痛的意志力非但不加以管束（这正是比利所极其需要的），相反地，他们却把所有的管教努力用在摧毁他的志气上。他们不但绝望地朝孩子嘶吼怒骂、号啕大哭、挥拳相向，甚至还把自己管教的挫折感化为对孩子的人身攻击和满心恨意的拒绝。你似乎可以听到那位父亲怒气冲冲地朝孩子吼着："为什么你老是长不大？你的行为举止就不能像个有教养的人吗？你是一个人见人厌的小混蛋，你知道吗？我要告诉你，老子对你失望透顶！我可不想再带你出门，承认你是我的儿子！事实上，我也不想要你这样的儿子。如果你还一直像个无法无天的恶棍，我就把你赶出这个家——送到孤儿院去！到那时候，看你有什么办法！"每一句控诉、每一项指责，都只会使比利的自尊心往下降一大格。

可是这些人身攻击能否使比利变成一个柔顺、合作的乖孩子呢？当然不会！这些咒骂只会使他变得更卑劣，更心怀怨恨，更相信自己是一无是处、毫无价值的家伙。你瞧！比利的志气完全被压垮了。可他的意志还是如飓风般不停地怒吼肆虐着。可悲的是，这类小孩长大之后，往往会把这种厌憎自己的心理发泄在其他无辜受害者身上，造成不幸。

爱与管教联手

如果条件许可，我将很乐意邀请比利到我家住一段日子。改变他还不算太晚，相信这是一个颇具挑战性的工作，我乐于一试。我将如何着手来接近这位叛逆性极强的少年呢？我想，他一踏进我家门放下行李，我就会对他说：

"比利，有几件事我想先跟你说明一下。从现在开始，你就是这个家庭里的一员了。首先，你会很快发现，这里的每个人都爱你；我们欢迎你，衷心盼望你在这里的日子会成为你人生最幸福的回忆。你知道，我会非常在乎你的感受、你的困难和你的想法。我邀你同住，是因为我们喜欢你，我们会爱你、尊敬你，待你如同我们自己的小孩一样。如果你有什么想和我谈的，就尽管来找我好了。我绝不会对你说的话发火，让你后悔坦白了自己的心思。我和我妻子都不会故意说什么话来伤害你，或对你不好。你会发现，我说的这些并不是空口许诺。这是人们相互喜欢时，他们对待彼此的正常态度，而我们已经喜欢上你了。

"可是比利，你也必须明白其他一些事项。在这个家庭中有一些纪律和行为态度的规定，你必须像家里的其他人一样遵守它们。你将分担一些家务并对自己担负的工作负责，而且学校功课永远是放在第一位的。比利，我希望你了解，身为你的监护人，我必须教会你用健康、正常的方式善待自己和他人。也许你需要一两个星期来适应新环境，我相信你一定可以做到，而且我也会随时帮助你。如果你拒绝遵守规定，我会毫不犹豫地处罚你，这也是为了帮助你改变一些过去所养成的坏毛病。就算在我管教你的时候，我还是像现在一样地爱你。"

第一次遇上比利明知故犯的时候，我会非常坚决地处罚他。虽然绝对不会对他采用吼叫或冷嘲热讽的态度，也能让他马上明白我对自己说过的话是认真的。他也许会挨一顿重重的板子，或是提早上床一两个小时。第二天一早，我们会很冷静地与他讨论他所犯的错，让他知道我们仍然会爱他，给他改正错误、一切重新开始的机会。大部分的问题少年，对这种以爱心和毫不妥协的纪律交织的管教模式都反应良好。

爱和管教联手可以令他们放弃抵抗之心。

再说一次，我们管教的首要目的在于塑造小孩的意志，而不是使他丧失志气。

塑造小孩子的意志力：

"做父亲的必须善于处理自己家里的事，善于管教儿女，使他们知道怎样服从。"

保护小孩的志气：

"你们做父母的，不要激怒儿女，要用爱心来养育栽培他们。"

问题解答

问：你大概记得一本几年前流行一时的畅销书，名字叫《天地一沙鸥》（Jonathan Livingston Seagull）。讲的是一只海鸥的故事：它拒绝与群体合作，一起遵守他所属的"社会"的定规。这本书的真正用意是在影射人类家庭中的每个人的个体性与独立性，你是如何评价这本书和这本书中的主题的？

答：我认为，这本书表达的是一种有害的哲学思想，在8年前甚为流行。这种哲学用一句简单的话来概括就是"自行其是"，更直白一点说就是："保护自我的利益，凡与我所梦想相合的事情，我尽管去做，毋须顾及他人的需要和整个社会的道德价值。"我们常常还听到其他一些口号，它们表达的也是与此相似的观念。比方"要就要最好的！"和"率性而为，想干就干！"这个唯我主义的思潮，曾经激发了许多书本和歌曲的创作，包括动人心弦的小山姆·戴维斯的一首民谣《我要成为我自己》 (I've Gotta Be Me) (他还可能成为谁呢？老天知道!)。这个思潮对法兰克·辛纳屈的一曲《我随己意而行》 (I Did It My Way) 的产生，也起了推波助澜的作用。

海鸥的哲学

我相信，这些思想直接违反了我们一贯倡导的给予、分享、关心、爱、以善对恶这些基本精神。进一步来说，自私自利发展到极端，会动摇家庭和社会的根基，使它们不复存在。我在想，那个年代不知有多少做父亲的和做母亲的，因着海鸥哲学的鼓励，出发去寻求自我，而付出了难以想像的代价。他们留下一些极需照顾、关爱的幼儿在家，这些幼儿长大之后，终其一生带着被父母拒绝的伤痕，无法痊愈。我曾有一段时间负责治疗这些小受害者，他们的父母骄傲地"随己意而行"去了，留下的孩子却实在令人心酸。

菲力浦·扬赛 (Philip Yancey) 曾把海鸥与人类的行为做过一个对比，他写道：

人们为何喜爱海鸥呢？道理很简单。我曾静坐港边的山岩上俯瞰海鸥。它们热爱自由、喜欢翱翔。其双翅有力地向后一振，就能直飞云天，直到一览群鸟低，再绕着优美的弧线往下滑。它们一而再、再而三地重复着同样的动作，就像面对摄影镜头的名星一样。

然而，在团体生活里，海鸥却变成了另一种鸟类。它的优美和尊严化成了极污秽的好战与残忍。我先前观赏的那只海鸥犹如一颗俯冲炸弹，轰然直投鸟群中，引来一阵羽翅的扑打和愤怒的嚣哗之声。它的目标其实是从同类那里窃取一些肉来吃。在海鸥群里，根本谈不上分享和礼节，它们彼此间的竞争和忌妒激烈而残酷。如果你把一个红色的缎带系在一只海鸥脚上，使它与众不同，那你无异是宣判了它的死刑。因为群体中的其他海鸥会以爪子、鸟喙肆意地攻击它，用翅膀击打它，直到它羽毛横飞、血肉四溅。它们会持续攻击它，直到这与众不同的家伙躺倒在血泊之中为止。

雁群的团队精神

如果我们要选出一种鸟来作人类社会的表率，海鸥可不是最好的对象。扬赛建议我们考虑大雁。你曾想过飞过天际的大雁为什么总是排成人字队形吗？科学家们最近发现，雁队排成这个形状飞行，比单飞要提高71%的速度，而且更省力气。

人字型尖端那只头雁的工作最为艰巨，它所受到风的阻力最大。因此每隔几分钟就调换一次，大雁们轮流担任领头位置。这样，雁群便可以保持空中的长距离不停飞行。最轻松的飞行位置在人字队形的两个开口处，令人惊叹的是，比较强壮的雁会主动让那些年幼、体弱或是年老的雁一直占据这些较轻松的位置。据说，飞过天际的雁群不断地发出呱呱的叫声，这是那些强壮的雁在激励落在后面的那些体弱的雁。而且，若有一只雁太累或生病跟不上雁群时，它绝不会被单独撇下。一只健康的雁会伴着它落到地上休息，直等到它可以再飞为止。

这种群体的合作对整个雁群的生存和适应而言，具有很大的价值。因此扬赛最后总结道：

海鸥教我自由独立、离群单飞。可是雁却更进一步，它教会我如何在"家庭（群体）里"飞。有朋友的关心和支持，我可以超越任何一只独行的海鸥。我可以与家人们一道飞翔，比单飞可以飞得更远更高。而且当我飞行的同时，我的努力也帮助了"家中其他成员"的飞翔。

是呀！有多少这样的时候，我感觉我所身处的社会，其实就是由2亿只孤单寂寞的海鸥组成的。人人忙着自己的一丁点儿事情，并且他们矜夸、张狂、自行其是。可为了一己的利益，他们付出了多么巨大的孤单和绝望的代价啊！

严厉的老师受欢迎

问：为什么孩子们似乎都比较喜欢那些管教严厉的老师们呢？

答：你的观察只能说是部分准确。没人会喜欢心怀恶意、乱发脾气的老师，就算他施行极严厉的规矩和行为。可你观察到正确的一点，即学生们确实能被那些既能很好控制整个班级，态度里满含爱心与快乐的教师所深深吸引。这正是那些优秀的教师们发挥出来的高度教育艺术。

对你问题的回答是：孩子们喜欢那些善于管教的老师，

因为他们对彼此怀有惧意，盼望一个可以使他们放心的领袖，给他们一个安全的环境。若缺乏大人带领，你很难想像会有什么事情发生。

（注：我在这本书里特意未涉及学校教育的问题。我计划中下一本书将会是探讨学校老师应该采用的管教办法。）

问：你是否觉得，有些小孩会不自觉地以残酷的态度来对待别人？

答：我对此深信不疑。事实上，我自己就曾做过这样的事情。在我8岁时，有个参观者加入我所在的班级，与我们坐在一起。他的名字叫傅洛德，现在我仍然记得他的长相。更重要的是，我对他的耳朵依然记忆犹新，它们扭曲的样子就像是一个倒过来的C，很醒目地突在两边。当时我被他耳朵的样子迷住了，觉得非常有趣，酷似第二次世界大战时期电影中的一个喜剧人物。我毫不顾及傅洛德的感受，贸然把他的那对耳朵指给我的朋友看，惹来哄堂大笑。傅洛德起初显得并不在意，也与我们一起咯咯直笑。可突然间，他停住不笑了，从椅子上跳下来，满脸通红（耳朵也变红了）跑出门外，一边跑一边哭。他直冲过走廊，跑到教室外面。以后他再也没有来过我们的班级。

被取笑的滋味

现在我还记得，当时我对傅洛德猛烈的、出奇不意的反应感到大为震惊。你瞧，那时的我并不知道自己的小玩笑会惹得他窘迫不堪。其实我是一个非常敏感的小孩子，从很小的时候便知道保护弱者。我从来没有存心去伤害傅洛德。回想这段插曲，我觉得我的老师和父母该对这件事负一定的责任，他们应该预先教育我"被取笑的滋味"，尤其因为怪异的体型或五官遭人取笑时，被取笑者的心里会非常难过。我的母亲是个很会教养孩子的人，在那次事情过后，她也承认没有教我替别人着想是她的疏忽。至于主日学校的领导，我现在已经记不起当时他们开设的课程是些什么了，可还有什么课程能比教给我们"爱人如爱己"的律令的真实意义更好呢？

怎样处理收养的问题

问：我知道，现如今收养已成为一个很常见的问题，小孩应该坦然面对这个问题。但是，对于如何向我那3岁的小孩解释这个问题，我仍然感到非常不安。你能具体建议我"怎样做"吗？

答：这个问题可以从李文（Milton. Levine）博士的书《从2岁到5岁》（Your Children from Two to Five）里找到最佳答案。因此，我想在这里摘录一段：

领养小孩如今已成为普遍接受的做法，因此"我该告诉他是领养的这个实情吗？"这个令人心颤的问题已经不再只是肥皂剧中的对话了。许多做父母的已经意识到，愈早让小孩知道真相，就愈能为他们的和谐相处奠定一个稳固的基础。

　　李文博士是《世界新闻报》"2岁至5岁"专栏的顾问之一，也是纽约医院康奈尔医学中心的小儿科副教授。他告诉我们："虽然领养已不再被视为一种偷偷摸摸、见不得人的行为，它变成了一种正常而理性的事实，这是很好的。可养父母在处理这件事的时候仍然需要十分谨慎和细致，必须依靠和根据许多常识来做决定。"

　　李文博士认为，父母在小孩吵着要听故事的年龄时，就应该告诉小孩有关收养他们的事情。这样可以避免等小孩长大后才知道真相时，常常发生难以接受和异常震惊的感情创伤。父母可以把这件事当成家庭史上一个美妙的故事来告诉孩子。如果父母因为犹豫而推延揭开真相的时刻，有时反可能会影响到本意善良的养父母们。

　　"等到他大些、能懂事再说吧……"他们心中如此盘算着，迟疑着，直到最后把一个简单的事实变成了一个不可告人的秘密。李文博士认为即使等到小孩五六岁才说已经算太迟了，小孩子情感上的伤害已无法避免。他督促做父母的做到以下几点：

　　1.小孩一听得懂故事的时候，就应该告诉小孩他是领养的。

　　2.讲故事时，可以提到"领养"这个字，最好巧妙地把这个词与"被拣选的"、"挑出来的"和"所要的"这些词一起混用。

　　3.绝对不要试图去隐藏收养的事实，即使搬到一个有可能掩饰真相的新环境，也别这样做。

　　"有些养父母们一生都放不下一种内疚心理，总认为自己不过是替代小孩生身父母的'代理父母'而已，"李文博士讲道，"为了他们自己和所收养小孩的心理健康，他们必须接受一个事实——他们真的就是小孩子的父母。凡是从小把小孩带大、爱他、关心他，并且让他得以自由成长的父亲和母亲，就是小孩真正的父母了。而那些只是把小孩生出来的陌生人，他们只不过是小孩生理上的父母，这之间实在有着天壤之别。如果养父母在不知不觉之间给予小孩一种感觉：就是不管他们有多么爱他，也只不过是代理父母而已，无法与他的亲生父母相比。这是一种莫大的错误，只会危害到小孩与养父母之间原本毫无间隙的关系，阻碍小孩对真正的父母亲角色的理解。"

关于如何告诉收养的小孩他亲生父母的事情，即便是在那些对这个问题颇有研究的专家中，也存在着许多不同的看法。李文博士承认有三种可能的讲法，同时他也指出这三个答案都不算是真正的好答案：

1.告诉小孩他亲生父母死了。

2.简单扼要地告诉小孩，他的亲生父母无力自己抚养婴孩。

3.告诉小孩，因为他们是通过领养机构领养他的，所以对他的亲生父母消息一无所知。

"这几个答案各有利弊，"偏爱第一个答案的李文博士强调道，"告诉小孩他的亲生父母已经死了，这可以使小孩专心致志地爱与他一起生活的养父母。待小孩长大以后，他也不会被寻找亲生父母的念头所折磨。"

"可是，因为小孩童年时期最大的恐怖之一就是害怕可能会失去自己的父母，因此，这样告诉领养的小孩会使他觉得父母——包括养父母——都不可靠。"李文博士也坦白承认这个缺点，"然而，我觉得长远来说，在被抛弃和死亡的恐惧之间，小孩可能更易于接受后者。若告诉小孩，他的亲生父母无力抚育他们，必须抛弃他。年幼的他无法明白造成这种行为背后的环境原因，反倒会使他觉得自己是个不讨人喜欢、不被人需要的小孩，不值得父母极力争取来拥有他。这会形成他的自卑心理。

"对养父母而言，性教育是另一个极为棘手的问题。所有简单的、自然的对生儿育女的解释，都强调孩子是父亲和母亲彼此相爱且渴望相互拥有的爱的结晶。这种解释对其他小孩都可行，但由于特定的错综复杂的原因，却可能导致收养的小孩与他的养父母之间产生疏离与隔阂。他们开始怀疑自己的来源，感觉与他周遭的事物慢慢格格不入。"

我不赞成李文博士的地方，是他提到的如何给小孩讲关于他亲生父母的故事。我不愿意向小孩子撒任何谎，我不会对收养的小孩谎称他的亲生父母已经死了。迟早他会知道自己受骗了。那时，他对你所说的整个收养的故事都要起怀疑。相反地，我会告诉他，有关他亲生父母的资料我知道很少。我会提一些不伤害小孩和不确定的可能原因，比如"我猜可能是他们无法照顾一个小婴孩，他们可能非常穷，不能好好照顾你；可能那个女人生了很重的病；可能她无家可归。这些我们都不很清楚。不过我们很确信的一点就是，对你能成为我们的儿子（或女儿），我们非常非常地感激。你是上帝所赐给我们最美好的一份礼物！"

收养的三点建议

　　除了李文博士的建议之外，我有3点补充意见：

　　1. 告诉他你们如何盼望有个小孩，告诉孩子，当你第一次看到他躺在摇篮里时，感到心中的欣喜，告诉他他当时是多么可爱乖巧。告诉他收养他那一天，是你一生中最快乐的日子，你忙着打电话通知你的亲友，分享这个大好消息。（当然这些也应该是实话才对！）

　　另外你也可以再找些类似的故事，帮助向他们传递价值和尊严的信息。你必须知道，小孩子对收养的理解，完全取决于你早年处理这个事实的态度和方法。毫无疑问地，没有人愿意看到整个事情演变成一个悲剧，仿佛是在万般无奈之下的时候，才只好坦白承认这件不可告人的可怕秘密。

　　2.每年开开心心地给孩子过两次生日——一次是他出生的日子，一次是他成为家庭一员的那一天。第二个生日会使得被收养的小孩觉得，与他的兄弟姐妹们没有什么不同。而且提到"收养"这个字眼的时候，应该尽量自在公开，使这个字的神秘性消失。

　　3.在孩子的心理稳定，事件的冲击逐渐淡化之后，就该把它置诸脑后，不要愚蠢地一再去提醒小孩子他是与众不同的。当必须提及的时候，轻描淡写地带过，别总是在小孩面前提到"收养"字眼，提到时也不要露出焦虑或紧张的神情来。要知道小家伙对大人深藏的感情是十分敏感的。

　　我相信凭着这些理智的常识，可以帮助收养的小孩克服一些心理的障碍，使他们免受自卑的折磨。

如何培养有个性的

第五章

父母常犯的错误

口头谴责方式最大的缺点是，父母往往最后依然
免不了求助于体罚，才能使小孩就范。这时，父母
便无法以一种冷静、理性的方式来施罚了，而是
暴跳如雷、大打出手。与其如此，何不早一点采用
冷静明智的管教方式呢！

不当地使用愤怒为武器来控制小孩——这是我们在教养小孩方面最常犯的错误，这个错误一旦犯上了，后果是颇为可观的。

　　斯波克博士（Dr.Benjamin Spock）是著名的小儿科医生和作者。近几年来，他所主张的自由放任的儿童教养方式，受到各方面的猛烈抨击。人们指责他损害了父母的权威，培养出整整一代不知尊重他人、无法无天的儿童。对普通人来说，斯波克博士成了主张极端放任和过分溺爱小孩的代表人物。

不能坚持到底？

　　尽管斯波克背着这样无可奈何的评语，几年前，他却在《仕绅录》（REDBOOK）上发表了一篇明显赞成严厉管教的文章。以下这一段，就节录自斯波克这篇名字令人惊讶的文章——《怎么避免孩子变成耍赖鬼》：

　　在我看来，不敢严厉、不敢坚持，乃是当今美国父母们最常犯的错误。

　　比如父亲叫道："午饭做好啦，快进来吃饭了!"小孩却装作没听见。而父母虽然明知小孩故意不理不睬，却转身进屋任由他去了。

　　有时候母亲对孩子说："今天很冷了，你该穿上防寒服啦!"他8岁的小男孩却说："我不想穿。"于是做母亲的也没声儿了。隔了15分钟，母亲又开口说了一次，却仍然没有

效果。

　　有时小孩说："我还要一颗糖。"父亲说："说过只给你一颗的!"小孩回答："可我还要一颗。"他一边伸手拿了一颗糖，一边看看大人会不会发火，而父母却真的无动于衷。

　　以上这些事例本身看起来都不是什么严重的事。但如果同样的情形继续下去，日积月累地，小孩就会养成耍赖和惹麻烦的个性。这些不断的小争执往往伴随着眼泪和疲倦，长此以往，也是够令人痛苦和精疲力竭的。

　　我认为父母们的态度之所以不够坚持的原因，是他们担心"坚持"原则，小孩便会恨他们，或者不再爱他们。你可以在一个极端的例子里看到这一点：一个不听话的小孩可以朝着自己的父母大喊："我恨你们!"来得到自己想要的东西。每当他（她）这样做时，父母马上便显得非常惊慌，随即就屈服了。

　　当然，我们所有人都不喜欢引得别人不愉快，因此常常因为这一点而迁就他人，包括我们自己的小孩在内。然而这并不是任凭小孩无理取闹的理由，因为这种做法，只会引来更多的要求和争执而已。

斯波克博士因此得出结论说：

　　要想让小孩规规矩矩地做他们当做的或制止他们的无理取闹，最佳的办法就是父母每次都能做到清楚、坚决。坚决的一部分就在于父母一定盯着小孩，直到他服从为止。我可不是建议做父母的采取过分严厉的态度，仿佛训练士兵一般。若是如此，反而会导致小孩误入歧途。父母的态度应当友善。

但坚决而冷静的方式的确更有可能得到小孩合作——彬彬有礼的、迅速的、完完整整的合作。

我知道这是个不争的事实，我也看到成千成百的父母非常有效地照此行事。还有一点必须指出，坚决、严厉的父母反倒可以培养出一个更快乐的小孩。

被误解的斯波克博士

这篇文章的观点让我觉得惊奇又迷惑。难道这些传统的观念是出现在著名的"放任主义者"斯波克博士的笔下？最著名的"反管教"专家竟会建议父母采取坚决而权威的管教模式，这是真的吗？最后我得出的结论是，这位年龄渐长的儿童专家改进了他的观点，并试图纠正自己早年在儿童教养问题上的一些错误。

斯波克博士完成这篇文章的勇气令我深感敬佩，对于一个地位崇高的学者而言，最难的一件事莫过于公开承认："我错了！"想想这位小儿科医生在过去10年中所遭受到的非议，他承认自己错误的事情更是难能可贵。斯波克却在《仕绅录》上坦承："我们往往是到了无法挽回的时候，才发现我们自以为是、无所不知的态度如何低估和损害了父母们的自尊心和自信心。"

我对斯波克博士的坦率赞赏之至，觉得无论如何都应该给他写一封热情的信表达我的尊重之意。在信里，我赞赏了他的勇气，并阐明了我们观点共通的部分。最后，我补充道：

"事实上，你在文章里加以雄辩阐述的那些原则是我也深深赞同的，其创造者并不是你或者我。它们是人类的创造者

在几千年前就已经宣示过的。尽管有过那么多歧变和纷争，可最后他总是正确的，这个事实难道不是很有意味吗？"

随信，我还赠送了一本我写的《勇于管教》给斯波克博士。几星期后，我收到了他从纽约的办公室写来的回函。他在信中讲到，其实他在几个月前的文章中所写的观点，都包括在他25年来的演讲和著作中，一些人故意将他曲解为"放任主义者"。

斯波克博士的回信加深了我的疑惑。他在《仕绅录》上发表的文章充满了自责和歉意的意思，可他在给我的回信中不承认那是自己的转变。

1974年时，我终于有机会与斯波克博士见面，同时成为名主持人芭芭拉·华特斯（Babara Walters）的嘉宾，参加她的电视访问节目。当时一起列席的，还有另外两位两位儿童教育专家：德诺斯博士和索克博士。

在5集的节目中，我都与斯波克博士坐在一起，而且休息时也一道进餐。因此，我有幸与这位著名的小儿科医生共处了6个小时。要知道斯波克博士写的第一本书《育儿百科全书》，总共销售了2800万册，并且被译成几十种语言。我与他谈到了关于教养小孩的问题，也提到他在《仕绅录》上所发表的文章。

从彼此的这些交谈中，我深信斯波克博士也衷心赞成父母配合一致的管教和尊重父母权威的价值。他在儿童教养方面的"放任主义者"名声，其实是一种误解，非常不公平。事实上，斯波克博士对此也深恶痛绝。他告诉我，他之所以同意写《育儿百科全书》，是因为出版商告诉他，不必太在意，这也不一定是一部巨作，随意写写就可以了。

很明显地，斯波克博士和我在许多事情上都站在不同的阵营——他在政治上属于自由派，我却倾向保守派；他是弗洛伊德的拥护者，我却根本反对弗洛伊德的那套理论。不过，在管教小孩的事情上，我并不觉得他现在提出来的看法和我所持的信念有任何相抵触的地方。

在节目最后一集《不仅仅讲给妇女听》里面，暂代华特斯客串主持的女明星柏金（Polly Bergen）向与会的四位嘉宾轮流发问，问我们是否相信体罚的功效。四位来宾，包括斯波克博士在内，全部赞成适度的体罚。其实，若仔细阅读斯波克博士早期的书，仍然可以看出他也曾提到父母的管教，只是没有十分强调而已。看了他的作品以后，我发现斯波克博士对如何建立健康的父母和子女的关系，提出了相当合理的看法。

为什么我在这里要花如此的长度来讲述关于斯波克博士的故事？可能因为我在前几年关于他作品的评论中，对他有一些误解，我觉得应该向他道歉，另一方面，我觉得那些对鼓吹"放任管理"怒不可遏的美国公众们，他们指责斯波克博士，实在是找错了对象。其实在我们四周，有许多心理学家、心理医师和自命的儿童专家给我们许多建议，其愚昧的程度同这位上了年纪的小儿科医生的书相比，真是不知严重了多少倍。其中有一位教育家兼作家名叫约翰·何德（John Holt），斯波克博士的说法与他比起来，那简直是小巫见大巫了。

消极的容忍

此外，斯波克博士在《仕绅录》所发表的文章里有一个很精辟的观察，我觉得非常重要。他指出：

"小孩子，比如说一个小女孩吧，她可以立刻察觉到父母的犹豫、内疚感并掌握父母的脾气。他们的这些态度导致她拒绝听话且得寸进尺地要求更多的特权。她的无理取闹反过来令父母内心的怒气进一步积累，终于演变成或大或小的情绪爆发，才能使小孩放弃要求。换句话来说，父母的消极容忍并不能避免不愉快的情形发生，相反地，它导致无可避免的不愉快。"

斯波克博士这个说法是何等的准确！那些一开始急欲避免对峙和冲突的父母们，最后往往以对着小孩又吼、又叫、又威吓而收场。极端的会发展成痛打小孩的局面。事实上，这也是导致最终虐待小孩的原因之一。

愤怒不是控制孩子的武器

消极的容忍将我们引到管教小孩的一个最普遍，也可能是最代价惨重的错误上面。那就是，不当地使用愤怒为武器来控制小孩。在我所写的另一本书《管与教》中，我已经探讨过这个问题，但是我觉得有必要在这里再强调一次。

企图以愤怒和发脾气来操纵、控制另一个人（不管这个人是多大年龄），实在是再愚蠢不过、再白费工夫的手段了。然而，大多数的成人仍然惯于借助自己强烈的情绪反应来使小孩子就范。一位老师曾在一个全国性的电视节目中说道：

"我喜欢当个职业教育家，然而我每天必须面对教学工作。我教的小孩总是不守纪律、无法无天，我不得不每时每刻都拉长着脸，或大发雷霆，才能维持课堂的纪律。"把拉长着脸和发脾气作为每天的日常工作，年复一年，其滋味确实令人丧气。然而许多老师（包括父母）除此下策之外，似乎就不知道还有别的办法。我相信，这无异是钻进死胡同，既使人精疲力竭又毫无成效。

想想你自己的心理机制吧！假设你今天下班开着车回家，时速超过了每小时40英里的时速限制。这时街旁站一个警察，完全没有用诸如拘捕、惩罚这些的工具。他没有警车，也没有摩托车；他身上没有带徽章，腰间也没别着枪；他也没有罚单在身。他惟一能做的行动是，站在街旁，对着超速的你大吼大骂。你是否会因他愤怒地挥着拳头减慢车速呢？当然不会！你很可能还会在掠过他身旁时对他挥挥手呢！他的愤怒除了使他显得滑稽和愚蠢之外，一点实际的作用也起不了。

不怒而威

相反地，对于"飞车先生"最具威慑力的情景，莫过于瞥见一辆黑白相间的警车闪着红灯出现在汽车后视镜里。在车停之后，一位沉静威严、彬彬有礼的巡警走到违归者的车窗边上。这位警察先生身长6英尺9英寸，声音沉着如摇滚乐主唱，屁股上左右各别一枝短枪。他不急不徐、态度坚定地对你说道："先生！我们的雷达探测系统测出你以60英里的时速在限速25英里的区域驾驶，我能看看你的驾驶执照吗？"

他弯腰朝向你，打开皮面的传票簿。他无需面带怒意，

也不必言辞尖利地批评，你立刻就魂飞魄散了。你抖抖索索、神经紧张地从钱包中摸出那小小的证件来。这时，为什么你的双手汗湿、口舌发燥呢？为什么你的心都快跳到嗓子眼儿了呢？因为法律的制裁可不是闹着玩儿的，他让你非常地不愉快。是啊！警察先生采取的行动会极大地影响你今后的驾驶习惯！

管教的行动也能改变行为，但愤怒却不能。事实上，我深信成人的愤怒只会在小孩的心灵中造成一种毁灭性的对父母的轻视。因为他们洞察到了，我们的挫折感来自于缺乏控制局面的能力。对孩子来说，父母是公正的化身，而我们却在狂乱地挥舞着双手、眼泪几乎夺眶而出，或者大吼大叫、或者喊着一些空洞的警告和威胁。我想反问你一句："你是否会尊敬一位在断案过程中极端情绪化的法官呢？"当然不会！这也是法庭的程序被控制得井井有条，显现出客观、理性和威严的原因。

我并不是要求父母和老师在小孩面前隐瞒所有的情绪。我也不是要大人们像个平正刻板、完全没有反应的机械人，凡事往肚子里装。有时候，当小孩藐视大人，不听大人的话时，我们是完全有理由感到愤怒的。事实上，大人的情感应该彰显出来，不然我们会显得虚伪和矫情。我想说的重点在于：人们经常自觉地、有意地把愤怒用做一种影响他人行为的工具，这是毫无真正效果的，而且常常对两代之间的关系产生破坏性的影响。

一个常见的实例

让我们看一个实例，它也许能代表2000万个美国家庭每天下午都在发生的情形。亨利已经上小学二年级了，在学校待了一天之后，他仍能一阵风似地跑回家中。从早上一起床，他就开始又动、又跳、又笑，可令人难以置信的是，回到家中他仍然有多余的精力需要发泄。他的母亲葛太太可不是这样的，她一早6点半起床，就忙个不停，甚至到现在还没有坐下过。为全家准备好早餐、清理家务、打点行装让先生上班、送亨利到学校，然后又回头来照顾那两个刚刚学步的小双胞胎，免得他们扭打得天翻地覆。她一整天都不得片刻安闲。直到亨利旋风式地从学校闯进了家门为止，她已经整整忙了8个小时了。

尽管做母亲的疲惫不已，她还不能算完成了一天的工作！她至少还有6个小时的苦工要做：包括上超级市场买菜、煮晚饭、洗碗、替双胞胎兄弟洗澡、换上干净尿布、辅导亨利做功课、替他刷牙、为他念故事、说晚安，但是，亨利却不断地吵着要喝水，于是45分钟内，她给他倒了四杯水去……一想到可怜的葛太太和她无休无止的家务，我就为她难过不已。

可亨利根本不知道体谅母亲，他一回家就非淘气不可，因为他找不到其他有趣的事情可做。因此他开始招惹一整天忙得脚不沾地的母亲。他先是把双胞胎的老大逗得放声大哭，拎起可怜的猫咪的尾巴，打翻给狗喂水的碗。母亲开始唠叨了他两句，亨利却充耳不闻。他从玩具柜里拿出一堆玩具和积木来玩，母亲心知得有人收拾善后，暗示让亨利自己负责，

然而她却一点也没有把握亨利会听话。随后她声调中的紧张感开始升高了。她命令亨利去浴室洗手准备吃饭，可亨利消失了15分钟回来时，他的双手仍是脏兮兮的。这时，母亲脉搏加速、血压升高，左眼附近感到一阵剧烈的偏头痛。

老一套的把戏

最后母亲一天的忙碌终于行将到头：该是亨利上床的时候了。亨利可不想上床，他知道自己至少还能磨蹭30多分钟，他当然不愿意自动放弃这个时间，让自己不开心！每次不等到葛太太怒不可遏，达到"大爆发"的边缘，亨利是不会做违反自己心愿的事情的。于是葛太太开始强迫她不太情愿的儿子洗澡睡觉。这个故事我在《勇于管教》里引用过，下面是抄录的一段——

8岁的亨利正坐在地板上玩游戏。母亲看看表说："亨利！快9点了（其实只有8点半）！快收拾好玩具去洗澡啦！"亨利和他母亲心里都清楚，她现在并不是很认真地要亨利马上去洗澡，她只是告诉亨利，让他开始想着有洗澡这回事情了。如果亨利真的马上起身去洗澡，她恐怕会吃惊得昏死过去呢！过了大约10分钟，母亲又开口了："亨利，现在已经很晚了，你明天还要上学的！我要你马上收拾好玩具，这就洗澡去！"这一次，她仍然不是真心要亨利听他的话，亨利也知道她的言外之意："离你该洗澡的时间越来越近了，你得快点了！"亨利东摸西摸的，收了一两个玩具装装样子，表明他听到母亲的话了。然后又坐下来玩了起来。6分钟过去了，母亲终于发出最后通牒，这一回她的声音和表情都夹带着威胁意思了："听着，小家伙！马上给我洗澡去，否则要你好看。"对亨利而言，这回才是他真的必须收拾好玩具，慢慢磨到浴室去的时候了。如果母亲盯在他背后，他就十万火急地跳进浴缸去；如果她有些心不在焉的，那么亨利则可以再逍遥上几分钟。

你瞧！亨利和他母亲合演了一出独幕戏，他们都清楚必经的过场和彼此扮演的对手角色。整场戏的脚本都是事先设计好的，然后照原样搬演——每当母亲要亨利做他不喜欢做的事情时，她便按步骤套上愤怒的伪装，循序渐进，从冷静的语调开始直到涨红了脸发出威胁结束。但亨利却不必真正做出反应，直到他母亲到达愤怒的最高点。这是一出愚蠢透顶的戏。葛太太以空洞的威吓来控制亨利，所以她必须一直处在愤怒之中，母子的关系由此变得很恶劣。等到每天的任务结束时，她的头都会一阵阵刺痛。她从不敢指望亨利会立刻服从，总是等上20分钟，才能让她的愤怒产生真正的可信度。

让他挨点痛

如果父母采取实际行动来让小孩按要求行事，这难道不是更好吗？让小孩乖乖听话的方法有很多，有时是叫小孩受点皮肉之痛，有时可以给小孩一些奖励。轻微的疼痛，使用得当的话，是能够使小孩照命令行事的。你要知道，父母除了单叫小孩听话以外，他们还应该有些法宝使小孩愿意合作。

对那些束手无策的父母们，我可以提供一个法子——在脖颈和脊椎骨交界的地方有块肌肉，当被人用力一捏时，脑子会产生一个叫唤："好痛啊！千万别再被捏上一下了！"这种疼痛只是暂时性的，不会造成真正的伤害。如此一来，当小家伙把父母的话当耳边风的时候，他就知道母亲是有实际的法子对付他的。

让我们再回到母亲要求亨利就寝前洗澡的事情上来。她可以明确告诉亨利，他能再玩上15分钟。没有人（包括大人在内）喜欢被打断正兴致勃勃做着的事情。一个聪明的办法是安个闹钟或计时器，时间一到丁当作响。这时，母亲便可以平静地命令亨利去洗澡。如果他还磨磨蹭蹭，那他的颈肌就会被捏上一下。几次认真地执行下来，让亨利知道不服从就免不了这皮肉之苦，他便会学乖了。

可能有读者会觉得，故意使一个可爱的小男孩挨点疼痛，这个建议未免显得有些严苛和缺少爱心。对于他们的疑虑，我的解释如下：如果换一种相反的做法，就像亨利母亲的方式，结果会怎样呢？一方面，父母和孩子之间会连续不断地发生口角和争执。当小孩子发现父母唠唠叨叨的言语背后并没有实际的威力时，他就干脆不听那些话了。他只需在父母亲脾气爆发之前的那一刻做出反应就可以了。在这之前父母又叫又吼一阵，小孩我行我素，惹得母亲神经紧张血压升高，母子之间的关系仿佛紧绷的弦。而且这种口头谴责方式最大的缺点是，父母往往最后依然免不了要求助于体罚，才能使小孩子就范。这时，父母便无法以一种冷静、理性的方式来施罚了，而是暴跳如雷、大打出手。与其如此，何不早一点采用冷静明智的管教方式呢！

其实，如果父母的态度保持坚定认真，这种战斗是完全可以避免的。母亲可以柔声悦语地向亨利说："亨利！你要是不听我的话，你是知道会有什么事情发生的！妈妈可不愿意让你哎哟叫痛，这是世界上我最不愿意做的事情了。可如果你硬要不听，跟我对着干，妈妈只好照规矩办事了。闹钟一响，你自己看着办好了！"这样一来，小孩子必须自己做出选择，很明显还是乖乖听母亲的话比较好。做母亲的不必尖叫，也不必因常常威胁动怒而损害自己的身体，而且她占据了主动，胜券在握。当然，她必须认真地执行两三次，以向小孩证明她真的会捏他脖子的。无论如何，我相信，两种方式里面，第二种造成的敌意和疼痛程度其实是最低的。

减轻亲子间的敌意

理解了亨利和他的母亲之间所发生的事实，对那些不知不觉间变成了"河东吼狮"还不明底细的父母是很有帮助的。如下图所示，把上述亨利和他母亲之间所发生的事用上升曲线表示出来，我们可以看见：当亨利放学回家时，他的母亲在门口欢迎他，那时葛太太还是心平气和的，然而从那时起一直到睡觉前，她的愤怒情绪逐渐高涨，直到最后爆发为止。

一直到最后就寝前的怒气发作时，葛太太才向儿子清楚地表明，接下来可不再是警告，而是实际行动了。你看看！大多数做父母的（就算他是主张放任管理的父母），他们对孩子的容忍都有个限度，一旦超过那个限度，小孩马上就要挨打了。最让人惊叹的是，小孩子们往往都知道父母的底线所在，而且知道得毫厘不爽。其实大人们有成打的线索给小孩

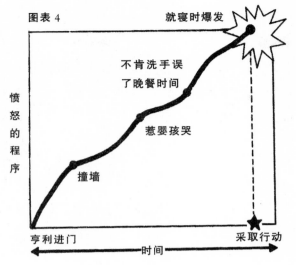

图表 4

就寝时爆发

不肯洗手误
了晚餐时间

惹婴孩哭

愤
怒
的
程
序

撞墙

亨利进门

采取行动

时间

窥探到我们是否到达了那个底线——只有在那时，我们会连名带姓地称呼他们："亨利·琼斯，快给我躺进洗澡盆里去！"我们说话的语气也开始一字一顿的："小子！我告——诉——你……"我们脸色涨红（很重要的讯号）；我们从椅子里跳起来。这时，那些小家伙们就知道是乖乖听话的时候了。

此外，小孩子还有很有趣的一个行为：一旦他们掌握了挨揍之前的一些信号之后，他们会一而再、再而三地把父母推到警戒线的边缘，试探他们，却少有故意超过那条警戒线。亨利偶尔也会故意不理睬母亲怒火，只是为了看看她是否真有勇气实施她说过的威胁。试过之后，他就会在母亲火冒三丈的最后一刻，及时地照她的话去做了，以免挨打。

红灯亮了

现在我们可以得出一个非常精辟的结论。我必须承认下面这段话表达起来很有些困难，可能读者无法全然领会。不过，它对那些想要停止两代之间冲突的父母而言，却是很有价值的结论。

我在前面提过父母在怒气发作、打算真的采取行动以前，常常会有一些信号通知小家伙们。可是只有当爸爸或妈妈真的"气疯了"，预示下一步来的就是棍子的时候，他们才肯心有不甘地勉强照办。然而在另一方面，父母看到自己一动怒，小家伙就乖乖听话，由此得出错误的结论，以为是他们的情绪爆发迫使小家伙投降的。因此，他们便相信，动怒在管教小孩时是必须的武器。其实，他们的理解是完全错误的。

还是回到亨利的例子上看看吧！他的母亲叫了他六七次，要他去洗澡，可只是在她"发作"时，他才跳进浴缸。这使她相信，是她的怒气迫使亨利服从的。她真是大错特错！其实并不是她的怒气把小亨利"撵"进浴缸的，小家伙心里想的只是母亲发怒之后的"动作"（挨打！）。她的怒气充其量不过是警告的手势，告诉他："妈妈已经受够了，接下来你得小心自己的屁股了！"这才是亨利真正在乎和关心的。

我写这整整一章，只是为了传递一个信息，那就是：要小孩听话毋须动怒，你只要偶尔来真的。而且，你可以在任何时候采取必要的行动（别等到你最后火冒三丈的时候），孩子自会甘心情愿地接受管教。事实上，越提早采取行动，处罚和冲突的次数会越少。当你的小孩与你僵持两个小时之后，

恐怕单是捏捏他的颈肌，已经不管用了。不过在冲突不大的时候，这一招已经足矣。（附带提一声，我可不赞成体重不足90磅的母亲垫着脚去捏她十多岁高个少年的颈肌。这个举动有很大的危险性，一般的原则是"手够不上时，就别去捏了！"）

如何培养有个性的

孩子

第六章
惩罚的艺术

我常遇到很多母亲告诉我:"我真是搞不懂自己的小孩。他们乖乖照父亲的话做,对我的话却毫不理睬。"

小孩若明白父母的"惩罚范围"合理且前后一致，就不会伤害到他们的自尊心；有时候，反倒是一种保护。

　　让我们先回到斯波克博士极富价值的观察上去，尤其是他提及"父母的放任（他指的是从不采取实际行动，或是行动太迟的父母）并不能避免两代之间不愉快的情形发生，相反却使冲突变成必然的结果"。如果父母不早早站稳立场，小孩会在天性的驱使下得寸进尺，最终使大人失去控制。因此，当小孩抗拒大人管教时，会使父母"反感和厌憎的情绪渐渐累积，最终大发雷霆"。这段话的意思正是我这30年来一直试图向父母们传达的。

　　上面这一段话包含的对儿童的理解，一些父母通过直觉也领会过，可另外有些人却从来没能"感受"到。这段话触及到爱和管教之间的微妙平衡。如果父母指定的"惩罚实施范围"合理且前后一致，就不会伤害到小孩的自我价值和尊严感。相反地，对一个身心还未成熟的小孩来说，这种惩罚反倒是一种有效的保护。

　　出于我也不完全清楚的什么原因，做父亲的在理解这一问题上往往比做母亲的要好得多。我常遇到很多母亲告诉我："我真是搞不懂自己的小孩。他们乖乖照父亲的话做，对我的话却毫不理睬。"小孩的这种行径不足为奇。他们都很聪明，知道爸爸不好惹，说两次不听就会来真的；而妈妈只是一路嚷嚷，光打雷不下雨。

爸爸要凶些

　　小孩眼睛可是雪亮的，远远超过被责任和忧虑模糊了视线的大人们，这就是为什么许多小孩在与大人的意志之战中往往能占上风的原因。他们全力以赴地投入这场"比赛"，而大人却是在迫不得已的时候才勉强接招。有一次，一位父亲偶然听到他5岁的女儿劳拉正对她做错事的妹妹叫嚷："好呀！我要把你做的坏事告诉妈妈！不！我要到爸爸那儿告状，爸爸要凶些！"劳拉自个儿在心里把父母两人的严厉程度评判了一番，结论是：爸爸比妈妈"有效"。

　　有一段时间，劳拉的父亲发现她突然变得特别不听话。她常常欺负弟弟妹妹，并试图不让父母注意到自己的行为。父亲决定先不正面跟劳拉谈她的问题，而是每碰上她惹事的时候就惩罚她，坚持不懈，直到她安静下来。这样，一连三四天，他让劳拉根本讨不到便宜，她屁股挨板子、被罚站墙角、提早上床。到第四天结束的时候，她、父亲还有妹妹一起坐在床上。妹妹安安静静地看着书，根本没惹她，劳拉却去揪妹妹的头发。他父亲马上在她头上重重敲了一记。很奇怪，劳拉没哭，她静静地坐了一会儿，突然说道："唉，我的诡计都不管用啊！"

　　如果读者回想自己的童年时代，可能也会记得类似的事情。小孩对大人管教的方式方法，心中其实算计得一清二楚，更深知其弱点。当我还是个小孩子时，我曾在一位天性顽皮的朋友艾尔家住过一夜。他对自己父母的一举一动简直了如指掌，正像一位破译了敌军密码的将军，让他步步占先，每一次都能克敌制胜。那天晚上我们在双人床上躺好以后，他开始向我绘声绘色地形容他父亲的脾气。

艾尔说："当我爸爸真的冒火时，他会骂一些很脏的字眼儿，你信不信？"他接着列举了三四个词。

我回答说："那怎么可能呢？我不信。"

艾尔的父亲沃克先生是高个子，沉静含蓄，看起来彬彬有礼，我简直不能相信任何艾尔说过的任何一个字眼会从他口中吐出来。

"要我证明给你看吗？"艾尔诡秘地说道，"只要我们不睡觉，一直笑个不停、说个不停，我父亲就会不断地跑来要我们安静些。几次过后，他会变得越来越生气。最后你就能听到我告诉你的那些脏话了。我们等着瞧吧！"

我对他的诡计有些疑虑，可心中也确实想看看温文尔雅的沃克先生发起怒来是什么样子。于是我和艾尔开始惹得他可怜的父亲像个陀螺般来来回回地跑上跑下，足足有1个小时之久。正像艾尔预言的，他每多跑一次，他态度里的烦躁和敌意就更上一层。我有些害怕，想取消这个游戏。可艾尔此前把这一套玩过好多次了，他不断给我打气，"要不了多久了！要不了多久了！"

最后到了午夜，沃克先生的耐性消失了。他从走廊直冲到我们房间来，迈着重重的脚步，整幢房子几乎都颤抖起来了。他冲进门，跳上床，对着躲在三重毯子下的艾尔大骂出口。他口吐秽言，不堪入耳。我吓坏了，艾尔却洋洋得意。

就在他父亲拍打着被子，大骂大叫的时候，艾尔还一边对着我的耳朵喊道："听见他骂的了吗？是不是跟我说的一样？我就知道他会这么骂的！"沃克先生当时没气得杀死他的调皮儿子，这只能说是一个奇迹。

那天晚上，我整夜想着刚才发生的事情，不能成眠。我发誓我长大以后，绝对不许我的小孩如此激怒我、操纵我。你难道还看不出来，你管教孩子的技巧与孩子对你的尊重之间有多大的关系吗？当一个体重20公斤的小家伙故意把他的身强力壮的父母搞得混身颤抖、满心挫折、狂吼乱骂的时候，他们之间的关系便倒置了。有些珍贵的东西也跟着消失。孩子慢慢产生出蔑视父母的态度，这种态度到了暴风雨般的青少年时期注定将爆发出来。我衷心希望，每一个成人都能看清楚这一人性中的基本特质。

爱的教育

在加州我家的附近，住着一位古铜肤色的绅士。他很懂小孩的心理，对管教他们颇有办法。他经营着自己的白德·林顿游泳学校。林顿（Lydton）先生现在可能接近60岁了，他的一生大部分时间是与青年人在一起，对于如何用纪律约束小孩实在是很有心得。我喜欢坐在一旁观看他教游泳课，这确实是一种享受。不过，很少有儿童发展专家能够解释，为什么他能如此成功地管教自己的小游泳队员。

林顿先生根本不是个温柔细心的人。事实上，他的态度甚至算得上粗鲁。小孩子做错一步，他马上会朝他脸上泼水，严厉地叫道："谁叫你动了？待在我让你待的地方，除非我让你游的时候！"他把小男孩统统叫作"未来的男人"，还为他们取了其他一些亲密的绰号。他上课井井有条，绝不会浪费一分钟。但是你相信吗？小孩子们非常热爱他。为什么呢？

因为他们知道林顿先生爱他们。在他看似粗鲁的态度下面隐藏的却是爱的信息，这是大人们眼里可能忽略掉的。林顿先生从不故意使哪个孩子难堪或羞辱他们，常常鼓励那些游得差劲的小男孩。他把默默的爱意小心隐藏在权威之下，他深知爱与管教交融的真谛。

管教需要信心与能力

我初三那一年，有位体育教练阿尔先生（Ayer）以同样的方式影响了我。当时他威风凛凛，是学生的统帅，没有人敢向他挑战。我是宁愿与狮子斗斗，也不愿意栽到他手上。是的，我很怕他，每个人都怕他。可他绝不滥用权力。在我极需要得到尊严的那段日子，他以无比诚恳和尊敬的态度待我。

在他对人的尊重的背后，是对驾驭一群如同野狼般的青少年所具有的自信和能力，而这群青少年可是吞噬了不少软弱的老师呢！在我生命的头15年里，他对我的影响远超过其他的人，因为他也深知爱与管教交融的原则。

不过并不是每个做父母的都能像林顿和阿尔先生一样，我也不想建议他们依样照学。况且，要一个母亲在家中施展田径场和游泳池中的"雄风"也不合适。每个人必须选择适合自己的个性和才能的方式来管教子女或学生。不过，无论对男人、女人、父亲、母亲、教练或老师、小儿科医生或心理学家，总的原则都是一样的——以爱心和管教的交融，来合理地教给小孩责任感和自制力。父母毋须发脾气，尊重小孩的自尊心和自我价值，制定合理的规则并坚定而自信地执行，聪明地使用奖励和惩罚来应对小孩的挑战和反抗。这也是创造天地人类的上帝自己所使用的方法。

问：你让我不用对孩子动怒，说起来当然容易。可有时候，他们会把我惹得非冒火不可。举一个例子说吧，每天早上把我那10岁的女儿送上校车的过程，实在令人痛苦。我必须再三催她起床，可你只要一转身，她就磨磨蹭蹭拖拖拉拉，开始玩自己的了。隔几分钟我就必须进屋去提醒她、催她、警告她，要不然她会迟到的。每多催一次，心里就越发愤怒，最后总要发展成尖声大骂才能收场。我知道这不是对付她的好办法。说真的，她的行为着实使我很想痛打她一顿。你能告诉我怎么才能避免每天早晨发脾气，让她乖乖地起床上学呢？

谁的责任？

答：如果你把女儿每天早晨赶校车当成是你自己的责任，那你就让她占了上风了。10岁的小孩绝对应该自己负起这个责任来，可你的怒气却不能做到这一点。去年，我的女儿也出现了类似的问题，也许我们的解决办法对你会有所帮助。

丹妮的毛病是她有洁癖。若是一早起来不把床铺得一丝不乱、有棱有角的，她是不肯出发去上学的。我们没有教她这样做，她对自己的东西向来小心翼翼（她的弟弟雷恩可就没有这个毛病）。其实丹妮能够很容易及时做完这些事情，如果她自己愿意的话。可她总是慢慢吞吞。就这样，我妻子陷入了跟你同样的麻烦里——催促、警告、威胁、拉她、推她，快到时限的时候往往勃然大怒。

我与妻子一起讨论了这个问题，觉得应该找出更好的解决办法。于是我设计了一套"打卡"的体制。运作方法如下——我们要求丹妮每天6点半起床。她负责自己把闹钟拨好、下床。如果她准时起床（晚了1分钟，就不算准时了），便立刻到厨房冰箱门上贴的一个图表上，在当天的第一个"时限点"上打个"O"。这做起来很简单，答案不是"O"就是"X"。

第二个"时限点"是7点10分，也是她起床40分钟之后。此时她必须照自己的心意收拾好房间、穿上衣服、刷好牙、洗过脸、梳好头等等，并且必须准备就绪坐下来弹钢琴。40分钟做完这些事情绰绰有余。如果她能快些，其实只要10或15分钟便可完成。惟一错过第二个"时限点"的可能，就是她故意拖拉。

把责任分派给小孩

设"时限点"的用意为何呢？丹妮若达不到要求，是不是会招来父母愤怒、诅咒和咬牙切齿的指责呢？当然不会！后果直接而公平。如果她没有达到一个"时限点"，当天晚上她就得提早半个小时上床。如果她两个都错过了，那她就得提早一个小时上床。她可以在床上阅读，但不能看电视或打电话。这样一来，早晨的压力就从我妻子的肩上转到了我女儿的身上了，这责任本来就属于她的。有时，我妻子匆匆起床赶着预备早餐时，发现丹妮已经穿戴整洁，神情专注地坐在钢琴前练琴了。

这个办法可供那些有类似问题的父母参考。这一点也不苛刻，事实上，丹妮似乎也很高兴自己可以达到这两个要求。当然事先必须制定彼此可以接受的行为规范，把责任清楚地分派给小孩，他若不按规定去做，结果也是十分公平的，执行起来也轻松容易，这样一来就不必惹得大人生气或跺脚了。

　　此外，你也可以应用类似的观念来解决一些家庭中常常发生的痛苦争执。在这点上，惟一的限制在于父母的创造性和想像力。

尽量说"可以"

　　问：父母在管教子女时，还有哪些常见的错误呢？

　　答：有一个错误是父母在管教时经常犯的，就是他们容易养成对子女说"不"的习惯。

　　"不准到外面去玩！"

　　"不准吃饼干！"

　　"不准打电话！"

　　"不准去朋友家玩！"

　　我们做父母的原可以答应小孩子的这类请求，然而很多时候不假思索地一口回绝。为什么呢？因为我们不想花时间停下手中的事情，去考虑可能的后果；因为这些活动给我们增加了更多的麻烦和压力；因为这些要求的背后隐藏着可能的危险；因为我们的孩子每天有成百上千的要求，而我们发现全部拒绝会比较省事一些。

　　当然每个小孩都必须学会接受拒绝和失望，特别是对有些过分的要求。不过父母也应该合理地考虑小孩的每一项要求。在生活中已经有很多"不可以"、"不能做"的事情了。因此只要可能，我们应该尽量点头说"可以"。

道森（Fitzhugh Dodson）博士在他的书《如何当父亲》中对这一点有很详细的讨论。他说，父亲应当主动地同小孩一起交流与活动，他写道：

"想一想你在自己孩子眼中是什么样子吧！在100次中是不是有99次是你在期望他做到什么呢？提醒他该做什么事、指责他让他别做什么，或者追在他身后看他有没有犯错。如果仅仅是这样，你无法和他们建立起深厚亲密的情感关系。小孩也需要你对他别无要求的时候主动与他相伴，你们俩相互交流感情，享受这平静亲密的时光。5岁以下的小孩特别有这种情感需要，而这也是建立深厚的父子关系的最佳时间。如果父亲肯花时间与学龄前的小孩建立起一份深厚亲密的感情，许多青少年期内极端不正常的反叛行为是可以预防和化解的。"

体罚绝非惟一选择！

问：你看过一本名叫《养小孩的苦与乐》（Children Fun of Frenzy）这本书吗？如果看过，你能对它建议的管教儿童的办法做出一些评论吗？

答：是的，我很熟悉这本书。该书作者是帕特·法布里兹（Pat Fabrizio）。她的另外一本书是《为什么爸爸喜欢回家？》（Why Daddy Loves to Come Home）。在这本《养小孩的苦与乐》中她写出自己先是作为一个放任的母亲后来又坚持严厉管教的经历。法布里兹曾是一个十分纵容小孩的母亲,她的小孩既无教养也不知道尊敬他人。经过一段挣扎和找寻,她和她先生发现了管教原则。

这本书中确实有一些有价值的观念,我不想否认这点。但是我有些担心她对体罚的过度强调。在开始的阶段,她纵容和放任孩子,后来又显得过度热衷体罚。在我看来,她在管教小孩子的问题上,她有点从一个极端跳到另外一个极端去了。我想引述她书中一段话:

"……每一次我要求小孩做什么,从'来妈妈这里'、'别碰那东西'、'嘘!小声!'或'把它放下来',反正无论是什么,我一定要他照作。我先用平常的声调说一次,他若不听,我就一定(这是我的强调)拿起鞭子来打他(这是爱的缘故),教他痛得下次再也不敢了。"

在另一处,她提到"最微小不服从",也必须鞭打。她接着说:"不管犯了什么错!矫正是必须的,因为犯错总是因为不听话的缘故。"

因此,她提到有一次她打了女儿,因为"她心里虽想照我的话去做,可是玩昏头忘记了"。我以为只有当小孩子故意违抗时才有必要施行体罚,只有当小孩故意说"我就不"时,体罚才是必要的选择。因为她"忘了"就打它,这是多么不明智的行为呀!当书中写到他们的儿子有一晚因为淘气不肯上床的事情时,我甚至觉得很压抑——

"于是,爸爸走进他的房间,唤醒他。他把他抱在腿上坐着,直到他完全清醒过来。然后爸爸告诉他,他对刚刚发生的事深感不安,身为父母却没有好好管教他。爸爸告诉他，因为刚才上床前他没听话，所以必须受惩罚。于是爸爸便打了他，再把他放回床上去。"

这本书最令我失望的是它所传递的中心思想——小孩必须通过管教才能学会尊敬他人和负责任；小孩必须服从在父母的权威之下；绝大部分小孩或多或少都需要体罚。这些本来是没错的。可管教的方式有多种多样，也不是一种方式就能适应于所有的具体情况。不能一成不变地使用责打的方法。有时候，你可以罚小孩坐在椅子上10分钟，就像我在前面章节所建议的；或拿掉他某项特权；或要他提早1小时上床等。针对犯错的情形和轻重，有许多种方法。有时，我发现与犯了错深感后悔的小孩谈谈，给他一个意料之外的"赦免"也是非常有效的。我觉得，小孩的心理极其复杂，必须以机智、灵巧、勇气、技巧和知识来带领他们。

洞悉孩子的内心感受

总之，好父母必须能够洞悉小孩子眼神之下所隐藏的东西，看看他所看到的，体会他的感受，与他的心灵相通。当他寂寞时，他需要你的陪伴；发脾气时，需要你帮助他控制自己的情绪；害怕时，需要你的拥抱确保安全；好奇时，需要你耐心的指点；快乐时，需要与他所爱的人一起分享他的笑声和欢愉。

因此，父母必须能够体会小孩的感受，采取适当的回应，并满足他外在的需求。从这个高度来讲，培养出一个身心健康的小孩其实是一门极高深的艺术。

我不愿意过分批评这本书，然而仅仅对管教小孩这点过度热衷也是一种危险的品行。要知道，让孩子们明白惩罚的目的，并觉得每次惩罚都是公平合理且是自己应得的，这一点非常重要。如果仅仅出于"微小的错误"，挨打便成了家常便饭，小孩心中的憎恨会慢慢累积，最后将导致青少年期的危机。

如何培养有个性的孩子

第七章

手足相争

如果忌妒是不可避免的,作父母的应该如何将手足之间的敌意控制在最低限度呢?第一件事就是避免将两人做不公平的比较。

小小孩并不只是在心中彼此仇视就算了，他们像个小战士彼此互相攻击，大力瞄准对方的弱点进攻，方式包括争吵、打、踢、叫、抢、嘲弄、饶舌和使对方瘫痪。

在我最近出版的一本书中，我写了一段插曲，颇能表达做父母的挫折。事情发生在我儿子雷恩四个月大时，我妻子把他抱到梳妆台上换尿布。当她把湿尿布一打开，雷恩突然像喷泉似地洒起尿来，妻子措手不及，"惨遭"波及之处包括墙、地毯和墙上的一幅画。妻子还没来得及动手清理时，电话铃又响了。她匆匆忙忙跑出去接，在这段短短的时间内，雷恩无法自控地又撒了一泡尿，这次自己的小床和房间四周都"扫射"到了。

当我那耐心细致的妻子给她儿子洗完了澡，刷完了房间后，她已累得有气无力。她帮雷恩换上发出甜甜香气的干净衣服，满怀爱意地把他架在肩头上来回踱步。这时，雷恩又把才吃下去的早餐吐到她的颈子上，一直流到她的内衣里去。等我傍晚下班回家的时候，发现妻子坐在起居室一个黑暗的角落，自言自语地边嘀咕边摇头。

这就是生养小孩子的代价，有个父亲形容说，养小孩是"一阵风来一阵雨，一头响来一头乱"。我想我们都应该认识到，做父母不仅是人生最大的幸福之一，同时也意味着对自己个人的牺牲和挑战。所有值得的东西都是代价昂贵的，养小孩也不例外。可另一方面，我也深信，许多养小孩的挫折和苦恼，往往来自于缺少计划和条理，还有对这整件事情了解不够。在养小孩过程中所遭遇到的困

如何培养有个性的孩子

难，都不是什么新鲜或独一无二的问题，而且每个做父母的都有过类似的经历。对付这些问题，肯定存在着更好、更巧妙的解决办法。现在，就让我们以崭新的眼光来看看这一章和下一章会讲到的两个普遍存在的问题。

手足是冤家

　　问问美国的母亲们在养育小孩时遇上的最棘手的问题是什么？我相信，她们一定异口同声地说是"手足相争"。小小孩（大小孩也是一样）并不仅仅限于在心里相互仇视对方，他们会向小武士一样相互攻击，打个天翻地覆。他们发动己方的力量，刺探对方防线的弱点，发动进攻。他们相互争吵、打、踢、尖叫、抢夺玩具、嘲弄、讥讽，彻底瘫痪对手的反抗力量。

　　我知道有个小孩对自己得了感冒而他的弟弟却安然无恙感到非常痛恨，因此他偷偷对着他弟弟乐器的吹口上猛吹气，想把感冒传染给他。当然，这类战事的最大的失败者永远都是那可怜的母亲。她必须时时听着战场上的喧嚣，无处可躲，而且事后还得由她来修补伤口，安慰失败者，收拾惨剧。如果她天性喜好和平与宁静（多数女人天性如此）的话，在这持续不断的枪炮声中，她就只能跌跌撞撞、提心吊胆地度日了。

　　专栏作家劳德尔斯（Ann Lauders）最近让她的读者回答一个问题："如果你早知生养小孩是怎么一回事的话，你是否还会要孩子呢？"在1000个回答这个问题的人中，70%的人说："不愿意！"而《好家庭》（Good Housekeeping）杂志也做了相同的问卷调查，其中95%的人回答："愿意!"

　　虽然与之相伴的评论都是很有启发性的，但我无法解释这两个调查结果之间的差异何以如此之大？有些读者来函十分精彩。其中一个匿名的母亲写道："我是否愿意再有小孩？我的回答是一千个一万个不！我的孩子彻底毁了我的生活、我的婚姻，和我作为单独一个人的事实。根本没有所谓的幸福和快乐，祷告也无济于事——要一个尖叫不停的小孩安静下来，这是绝对不可能的!"

　　我不赞同她最后说的。其实，肯定有办法可以让一个尖叫的小孩停下来，让一打尖叫的小孩停下来都可以。容许小孩破坏你的生活，或任由他使周围的大人深感痛苦，这是不必要和不健康的。手足相争的现象很难"根治"，但绝对不乏对付这种情形的好办法。针对这一现象，我将提供三个建议，它们对于恢复家中的安宁平静应该是有所帮助的。

不要挑起孩子天生的忌妒心

　　当然，手足相争并非什么新事。有历史记录以来的人类第一宗谋杀案——"该隐杀亚伯"（载于《圣经》的"创世记"中），就是兄弟相残的好例子。而且从那之后，几乎每个拥有两个孩子的家庭，都曾面临相同的问题。这种冲突的源头是人类自古皆有的忌妒和竞争之心，包括在孩子之间。比契尔夫妇在他们的书《忙碌的父母》（Parents on the Run）中道出这个冲突为何不可避免：

　　"从前我们以为，如果做父母的好好地向小孩子解释，告诉他将要有个小弟弟或小妹妹了，他是不会有仇视心理的。父母可以这样说，因为他给了爸爸妈妈多大的欢乐啊，所以他们想再有一个小宝贝，好增添他们的幸福。人们以为，这样说过以后，便可以避免小孩间满含忌妒心的竞争和敌视了。然而这样说是不管用的。为什么会行不通呢？试想，如果有个男人告诉太太因为他太爱她了，所以他想再娶一房小老婆以‘增添他的幸福’，这个太太可不会因为他这样说就不忌妒的（相反，她会更加暴跳如雷）。正如小孩彼此相争的情况一样，好戏才刚开始呢！"

如果忌妒是无可避免的，做父母的应该如何将孩子之间的敌意控制在最低限度呢？第一件事就是避免那种将两人做不公平比较的情形发生。著名的巡回演说家戈德（Bill Goethad）曾说过："比较为自卑之源。"我对此十分同意。问题不在于"我行不行？"而是"约克、斯蒂文和马龙比起来，我行不行？"问题也不再是我能跑多快，而是谁最先一个冲过终点线。一个小孩子在乎的不是他自己有多高，他实际在乎的是"谁是最高的？"每个小孩心里都会自动地把自己拿来和他的同伴们比较一番，而且对自己在家里的落败十分敏感。

因此，父母应该避免使用比较的语气，特别是惯常地偏袒一方。这在以下三个方面尤其重要。

第一、小孩对于自己外貌的吸引力和身体的特征极其敏感。如果常常夸这个，贬那个（或者仅仅是不夸），这是非常容易造成伤害的。比方说，人们当着夏伦的面不经意地说到她妹妹："贝蒂长大了肯定是一个大美女！"可从来没有人这样评论过夏伦。单单这样一句话，便可能使俩姐妹反目成仇，成为敌手。如果姐妹两人美貌的程度又相差很大，肯定夏伦心中会想："是呀！我就是丑的那个！"如果父母对两人的态度和评论再证实了她的害怕的话，仇视和忌妒将从此产生。

　　我在另一本书《让孩子自信过一生》中曾经提到过："美貌是决定西方小孩自尊心的最重要的因素。"当父母在小孩面前谈到这个问题时，一定要格外谨慎。它的力量足以引发兄弟、姐妹之间的仇视心理。

　　第二、智力的高低是另一个必须小心处理的敏感神经。大人常常会当着孩子的面说："我想小的那个确实比他哥哥聪明多了！"大人们很难明白，这类的评论将会在孩子心中产生多大的冲击力。即便大人是以不经意的平常语气说出口，但一再重复，便等于间接地告诉小孩，他在父母眼中的形象是什么样的。其实不光是小孩子，我们所有人对这种话都是极其敏感的。

　　第三、小孩子（尤其是男孩）在体育竞技方面是十分较劲的。两兄弟中哪一个动作较慢、身体较弱或是协调能力较差的，他自己可是很难大大方方接受这个"第二"的称号的。一个有两个男孩的母亲给了我下面这张字条，这是一个很令人深思的例子。字条是这位母亲的9岁的儿子在赛跑中，第一回输给他8岁的弟弟之后写的：

　　　亲爱的吉姆：
　　　我是世界上最棒的人，而你是天底下最差的家伙。我可以在比赛中打败所有的人，你却谁都赢不了。我是全世界第一聪明的人，而你却是最大的大笨蛋。我是最好的体育选手，而你却是最糟糕的一位。告诉你，你总是像一头懒猪。我可以打败所有的人。这不是吹的，这是事实。而且永远都是这样！

　　　　　　　　　　　　　　　　　　　　　　理查

这真是一张在我看起来很有趣的字条，因为理查的动机一目了然。他被比赛失败的自卑感折磨得如此之苦，因此他要回家来向弟弟宣战。相信在接下来的两个月中，他会处心积虑寻找机会，好给吉姆重重一击。这就是人类的天性！

　　那么，我是不是在建议父母对家中小孩子的个体差异视而不见，或者是取消一切健康的竞争呢？当然不是！我想强调的一点是，在涉及美貌、聪明和竞技能力这些敏感领域时，父母应该让小孩知道，不管他们手足之间有什么差别，他们都是一样受到父母的尊敬和爱护的。尽管有些小孩在外面的确比较出众和受人瞩目，可在家中，赞美和批评都必须尽可能地做到公平。最后，我们必须记住一点，孩子不会在自己擅长的方面筑堡垒，他们处心积虑要保护的常常是自己的弱点。因此，当理查如此自吹自擂打击他的弟兄时，他其实是暴露了自己在哪一方面上所感受到的威胁（他弟弟居然第一回赢了他）。大人若是对这些信号保持敏感，将有助于最大限度地化解和降低孩子彼此间的忌妒心。

建立一个公平的体制

　　如果家里缺少一个合理的公平体制，"肇事者"总能溜之大吉，或者犯法者老是无罪开释的话，手足之争便会愈演愈烈，发展到最坏的地步。要知道，一个社会需要制定和执行法律，其目的便是为了保护人们，避免人们自相残害；同样地，家庭是一个小型社会，也必须尽到保护人权的责任。

　　举个例子来说吧！假设我住在一个没有法律的社区里，不存在警察，也没有法庭可供解决纷争。在这种环境下，我和我的邻居可以彼此相残而不受惩罚——他可以偷走我的割草机、扔石头打破我家的窗玻璃；我也可以从他家的树上偷摘他最心爱的桃子，把垃圾倾倒在他家的篱笆前。这种彼此的恶意损害会导致恶性循环，随时间的推移而更形恶化，最后只好诉诸暴力。这种情形若任其自由发展，便如同早期的美国社会一样，演变成两家世仇，相互残杀，冤冤相报无尽头。

所以，单个的家庭也跟社会一样，都需要法律和秩序。如果公平和正义缺席，那么年岁相近的弟兄姐妹间就会相互攻击。年龄大的一个块头大，力气大，不好公然招惹，他大可以欺负年幼的弟妹；可年幼的一方也并非没有还击之力，他可以破坏老大的玩具和心爱的物品，或者当老大的朋友上门作客时，在一旁猛捣蛋，还以颜色。于是相互的仇恨便如愤怒的火山一样爆发开来，滚烫的岩浆四面飞溅，周围的无辜者也难免被殃及了。

当他们希望引起父母的干涉和仲裁的时候，采用的常常是打架的方式。然而在一些家庭里面，父母要么缺乏足够的魄力和规定来执行他们的"判决"，要么父母对小孩间无休无止的争战深感厌烦和疲倦，干脆拒绝插手。更有些父母一味地要求年龄大的那个孩子认同一个不公平的前提："因为弟弟比你小呀！"所以他得完全忍让他那人小鬼大的淘气弟妹们。这无异于把他的手脚绑起来，不让他有自保和还手的机会。更有甚者，父母两人都在外忙着工作，任由小孩在家大打出手。

我想再告诫父母们一次：你最重要的责任就是建立一个公平的赏罚体制，维持一家的和平。应该制定一个家庭的每一成员都必须平等遵守的合理"法律"，做到赏罚分明。以下是我过去几年在自己家中执行的，几经修改而成的家规，可以供读者朋友参照：

1.每个孩子都不可以恶意开对方的玩笑，伤害对方。注意：这一条无可通融，违者必罚；

2.孩子的房间属于其个人的"领地"，门上都安锁，他人要进出房间，务必征求房主同意；（若几个小孩共处一室，则可划定各自的领域。）

3.年龄大的孩子不可戏弄自己的弟妹；

4.年龄小的孩子不可骚扰纠缠哥哥姐姐；

5.若想独处或单独同朋友相处，其他的孩子必须尊重他的选择；

6.对于任何严重的冲突，大人应尽快调解，并小心避免偏袒或不公平。

正如其他的公平体制一般，这个体制需要几个前提：

1.子女尊重父母的领导权；

2.子女愿意将仲裁调停的权力托给父母；

3.必要时，执行处罚。

当父母以爱心伴以这些"家规"来处理手足间的冲突时，家中彼此仇视的情绪便可以减少，并变成彼此包容了。

了解藏在小孩彼此争执后的真正动机

如果大人不能去理解孩子冲突背后的真正动机，那就太天真了。它们通常代表着对父母某种形式的操纵和控制。争吵和打斗为双方面的小孩都提供了一个机会，"引起大人的注意"。有人写道："对某类小孩而言，即便大人需要他去做坏事，也比他完全不被需要来得好。"因此，一对存心找事的小孩会达成默契，相互厮闹打斗，直到他们得到了大人的反应为止——就是挨一顿大骂也值得。

一位父亲最近告诉我，他的儿子和侄儿有回从开始争吵，到最后挥拳相向。两位做父亲的坐在一旁，决定任这场打斗自由发展。一阵激战过后，在精疲力竭的暂停之际，其中一个小男孩转头看看显得无动于衷的父亲们说："难道你们两个不打算管管我们，要任凭我们受伤吗？"

你瞧，这两个小孩其实都不需要打这场架，他们的激战完全是为了在场的两位大人，如果单是他们两人在一起，那又是另外一回事了。小孩子经常通过这种方式来"勾引"大人的注意力和干预。

信不信由你，要处理这一类的手足纷争，其实是最容易的。父母只需很简单地让惹事的双方都讨不到好处就可以了。毋须气得紧握拳头、眼泪涟涟、乞求他们别打了或者尖叫。这样的反应，实际上只会强化这种坏行为，使之变本加厉。父母应该以尊严和自信的态度来处理这类纷争。

我的建议是视当时情况和小孩的年纪，对孩子做如下的"演说"（可做适当的修改）：

"托米和查可，你们俩给我坐到凳子上仔细听着。你们闹了整整一个上午了。托米，你把查可搭的积木城堡撞倒了，而查可，你扯乱了托米的头发，每隔几分钟我就得叫你们别吵了。好了！我也不想生你们的气了，因为兄弟之间争吵打架总是难免的。但是我告诉你们，我听够了，受够了。我还有重要的事情要做，没工夫来给你们劝架。

"现在仔细听着，如果你们两个彼此看不顺眼要吵要打，随便你们了（假设两人在力气上是势均力敌的话）。到外面去，爱打多久就打多久吧，直到你们打不动为止。不过再不许在我面前打了，我忍耐已经到头！我要说的就是这么多了，你们知道我这番话可是当真的，知不知道？"

是不是说完这段隐隐的警告就能马上制止纷争了呢？当然不是——至少第一次不会这么简单的。能否管用还得看父母是不是照上面的话拿出点"行动"来。把规矩说清楚了，不管其中哪一个小孩又闹起来时，做父母的必须马上处分。如果有两间卧房，就把闹事的小孩分别关到各自的房间里去，禁闭30分钟，不准听广播也不准看电视；或是分派一个去清扫车库，另一个去割草；或要他们上床午睡。如此处分的目的，是要他们相信下一次当我要求他们静下来别吵架时，他们最好照做。

容许孩子把你的人生乐趣完全破坏掉，如同《好家庭》杂志那位满心挫折的母亲写的那样，这是完全不必要的。而且最令人惊异的是，当父母能够以爱心和尊严来执行这些预先定下的合理家规时，小孩反倒是最感到幸福快乐的。

问题解答

问：我们十分仔细地规划我们的家庭，希望在适当的时候生小孩。请问两个小孩之间相差几岁才是最理想的？

答：对同性别的小孩而言，年龄相差2岁时最容易彼此相争；不过从另一方面来说，他们也最玩得来，最容易培养深厚的手足之情。如果你的两个孩子年龄差距在4岁以上，他们彼此的情谊就会比较淡薄了。不过，至少你不用在同一时间供两个孩子上大学。我的模棱两可的回答主要还是出于我个人的倾向：我觉得生孩子还有许多更重要的因素必须考虑，应该相隔几岁倒不算是特别重要。最关键的是，要考虑母亲的身体状况和想再要一个小孩的愿望是不是很强烈、经济状况以及婚姻的稳定程度等。所以我认为，相差几岁并不是决定因素。

激发孩子的合作精神

问：（下面的问题是从一位颇富创意的母亲寄给我的信中摘录出来的）你在《勇于管教》和《让孩子自信过一生》两本书中建议我们用钱来鼓励孩子承担新的责任。这个建议对我们家很有帮助，现在可以顺利地分派各人该做的家务了。不过，我自己想出了一个点子来改进了这个建议，用在我两个年龄分别为6岁和8岁的儿子身上十分有效。我的办法是当他们两人一起完成了指派的任务，比如刷牙、整理床铺和收拾衣物之后，他们才能获得奖金。换句话说，只要有一个人没有做到，两个人都得不到奖金；若是两个人都做到了，就通通有赏。结果他们立刻就把握了这个游戏的精神实质，彼此互帮互助，合作无间，俨然成了生意合伙人一般。我想你对这个方法可能感兴趣。

答：这个妈妈所做的，正是我对其他所有父母的期望：以我的书作为激发他们自身创造力的出发点。举这个例子是为了说明一点，所有最成功的父母都是那些能够运用自己的思考和创意，找出独特适宜的办法来处理自己家庭的日常生活难题的人。这位母亲做得非常出色，值得我们为之喝采。

问：你提到小孩子如何有意识地通过争斗来"控制"他们的父母。不过从另一个角度来看，父母亲们不也是借着奖励和惩罚的方式，来"控制"他们的孩子吗？

答：你说得不错！这就跟工厂的管理者"控制"他属下的员工，要求他们必须赶在9点钟以前到工厂上班一样；跟警察先生通过开罚单来"控制"超速的司机一样；跟保险公司为了"控制"上面这个司机开快车的习惯，提高他的保险费一样。"控制"这个字眼往往带有某种邪恶或自私的动机，因此我比较喜欢用"领导"这个词，为的是照顾到有关各方的利益——即使在某些时候会牵涉到某一些不愉快的结果。

想逃家的妈妈和不能生育的女人

问：谢谢你承认小孩也能让父母感到十分的挫折和失望。单单是知道还有其他的妈妈也同样产生过逃离家庭的想法——逃到一个安静的地方，我就感到非常地安慰了。明白我并不是这个世界上惟一觉得有时难以担当养育小孩的工作的母亲之后，我得到了很大的激励，我想我能做得好一些的。

答：我收到许多母亲们的来信，都提到与你相类似的说法。她们对家务深感力不从心。有个母亲说："我费尽心力终于把所有东西都收拾好，可是我再也记不起把它们放在什么地方了！"显然，我们生活在一个躁动和混乱的时代中，疲惫和赶时间的压力是我们最大的敌人。但是一走了之并非根本的解决办法，因为问题的症结首先存在于我们心里，而非来自外面的世界。每当我听到有人满怀憧憬地谈到丢下一切麻烦逃到某个"天堂"般的地方，我就不由自主地想起一个故事：有一个人预言30年代会天下大乱，整个世界将土崩瓦解。于是他收拾细软，迁到他能在这个世界上找到的最人际罕至的地方——位于南太平洋的一个无人的小岛瓜达康拉尔岛上去居住了。

果然，不出几年，他一觉醒来，发现第二次世界大战正在他的前院打得如火如荼。要在这个变得越来越小的地球上，想逃开人类的问题，简直是不可能的。

我曾经收到过一些语气失意和绝望的信件，都是那些因不能忍受自己家庭的挫折而深夜一走了之的人们写给我的。下面是一位逃家的母亲最近在一个匿名的汽车旅馆写给我的求助信，我想让读者看看她是怎么说的：

亲爱的杜博士：

我在这个孤零零的汽车旅馆写信向你求助，因为我从我可爱的丈夫、6岁的女儿安妮，还有5个月大的儿子波利身边"逃跑"了。我女儿长着一头惹人喜爱的金发，眼睛蓝蓝的，可是她老发脾气，折磨父母，把我逼到了无法忍受的极限。我那还在襁褓之中的儿子似乎存心要一天哭够24小时。天知道，我有多渴望一个不受打扰的夜晚，能够安安心心地睡上一觉。

我尽了好大的努力要做一个好妻子、好母亲……做一个人人喜欢的邻居。我一直希望尽到自己对家庭的责任，可我完全精疲力竭了，我垮了。在过去的一周里，我变成了一个魔鬼。我打女儿的耳光，把她的胳膊拧得青一块紫一块，对她又吼又叫又哭。如此发泄一番，等平静下来，马上又被深深的罪恶感缠住，恨不得一死了之。

我独自跑到这个汽车旅馆，是为了好好想一想，我的生活还剩下些什么。可我一点头绪也想不出来。我祈祷了很久，可得不到回答；或者是当回答来到时，我根本看不到。当我待在家里时，我忙得甚至连刷牙的时间都没有，更别说为安妮的行为和我作为母亲的无能感而向上帝祷告了。当我打安妮时，她回嘴讥讽我说："你根本打不痛我。"要不她就是又抓又踢，用力扯我的头发。不过昨晚我离开的时候，她哭着求我别走，虽然我安慰她，说妈妈肯定回来的，可她仍然哭个不停。

上个月，我们花了100美元去参加一个有关做父母技巧的咨询课程。可结果是，只有很少一部分管用了，其他的则对改变我女儿的坏习惯起不了任何作用。甚至早在波利出生前，安妮对我的态度就充满了敌意，而且极富攻击性。我忍不住想如何摆脱她。最近她去跟祖母住了一星期，去迪斯尼乐园玩，而我几乎一点都不想念她，这让我有一种罪恶感。

我刚刚跟先生通过电话，他说我走后，安妮一直在歇斯底里地发脾气。她要出来找我，可我却根本不想回家！我爱我先生，我一直很少有机会向他表达这一点。我有一个女儿和儿子，他们都是我一直想要的。现在的问题是，我没法面对我生活中的"日常的恐慌"。下星期四我就满

28岁了，请一定要帮帮我。

J.S女士

很遗憾的是，J.S女士并未留下她的回信地址，我没办法和她联系。到现在，我还经常想，她是否找到了她极度需求的帮助呢？

也许，在同一个地方再引述我在同一周收到的另一封信，让大家比较一下，这是很有帮助的。这封信来自英国，信主同意我引用她那些充满挫折感的文字：

亲爱的杜博士：

我刚刚读过你的大作，《妻子想让丈夫知道的关于女人的事》（What Wives Wish Their Husband Knew About Women），深感启发。这是我读过的最好的书籍之一。可是，我想问你，为什么你从不为像我这样的人写上几句呢？

为什么你没想到为无法生育的女人说说话？你知道我多想有自己的孩子啊！我们一直生活在不能完完全全做一次女人的阴影里面，你怎么不帮帮我们呢？我们该怎样去面对那些拥有自己的孩子和快乐家庭的亲戚朋友；怎样去应付渴望抱抱孙儿孙女的父母亲的热切期盼（如果能够的话，我肯定早就做了)？当我终于怀孕（两次），最后都小产了，我该怎么面对深深的绝望和恐怖呢？每当圣诞节来临的时候，人们全都忙前忙后地为自己的孩子准备圣诞礼物，这种时候对我来说是无法承受的。所以去年圣诞节的时候，我吞了一大把安眠药，想逃开这一切。我也想满怀希望的面对未来，可我的生活里事实上根本没有多少可以盼望的。

为什么这个社会要时刻提醒我们，一个没有孩子的家庭是不完全的，来增添我们的罪恶感和痛苦呢？

为什么像你这样明智的人也从来想不到写一本书来帮助我这样的人？

R.K夫人

R.K夫人的话很有道理。这个世界就像是围着孩子和那些养育孩子的父母旋转的。我们这些有幸生养小孩的人们，真的应该关心一下那些不能生养的人们的感受。要减轻他们的痛苦，我们还有很长的路要走。如果有可能，我想让写前一封信的J.S女士和写后一封信的R.K夫人见上一面。我想她们的谈话一定是很有意思，而且对双方都有所帮助。

问：我是一个单身母亲，我很担心自己7岁的儿子。我的亲人里面没有一个男性住在我家附近，我儿子是在一个完全由女性组成的世界里成长的。同时，我也很关心该怎么管教他才对。你能告诉我该怎么做吗？

答：你的问题触及了当今美国家庭中一个日益严重的现象，有越来越多的离婚或守寡的母亲和父亲正在一个人挑上做父母的重担。根据国家统计局的调查，在两年之间，35岁以下的人群中单亲家庭的比率上升了55%。这个势头还在持续的增长之中，它将造成的负面影响现在还很难预计。在这里，我想特别关注一下像你这样的单身母亲，你们每天很早起床，把孩子送到幼儿园或者托管中心，然后去上班8到9个小时，下班了还得尽力满足孩子身体的、情感的、精神的各方面需要，而此时别人可能都安然就寝了。这做不到！肯定有一些宝贵的东西会被忽略。最简单的一点，一个人的身体里不可能有这么多的精力去应付每天18个小时的劳碌，日复一日，年复一年。并且正如你的话里也提到的，母亲不能扮演一个好父亲的角色，父亲也往往只能做一个笨拙的母亲。

对此我有魔术般的好办法吗？没有。做父母本来就应该是两个人的工作，当它落到单独一个大人身上时，超乎寻常的压力是不可避免的。但对于培养孩子的男子气的问题，我可以给你一个建议。

这个办法需要你花一些钱，但我觉得这点投入到头来是非常值得的。你可以给你家附近的高中打电话，要求与高三年级的负责人谈谈。然后，你向他解释你需要"租用"一个身体强壮、热爱运动的大孩子，他可以有空时带你的孩子去公园，教他打棒球、抛鱼饵或者玩滑板。请求这位负责人给你推荐一位稳重的年轻人，而他也有可能喜欢跟一个7岁的小男孩作伴。这样，你可以按小时给这位年轻人付酬（高中生的工资水准并不是很高的），让他每周末带你儿子出去玩两三个小时。

至于单身父母应该如何管教小孩的问题，让我强调一点：我在这本书里勾画的那些原则，对单亲家庭也是同样

有效的。单亲家庭的孩子也需要管教、爱意、安全感和发挥才能的机会，就像父母一起引导和照顾他们时一样。单亲家庭惟一不同的是，这个任务变得更加困难和紧迫。

问：吉诺特博士（Haim Ginott）写了两本书：《父母与小孩》（Between Parent and Child）和《父母与青少年》（Between Parent and Teenager），你对他的主张有否意见？

答：吉诺特博士颇受大众欢迎，他很雄辩地教导父母应当如何了解子女，应该如何与子女沟通。在这一问题上，没有其他著作比他写得更深入精彩。然而就管教小孩而言，他并没有什么实质性的重大贡献。如果你仔细读他的书，注意看看他对教导子女学会尊敬和担负责任的说法，你会发现他十分倾向于放任自由的做法。以下是从吉诺特博士书中摘录出来的几段，是他给父母的四项建议：

1.吉诺特博士建议父母置身事外，不必过问小孩的家庭作业。即使小孩不肯做功课，以致遭到不必要的考试失败时，父母也应该保持超然立场。除非小孩特别要求，否则父母不必花心思去检查和监督小孩做功课。

2.吉诺特博士认为要求小孩做家务，乃是小孩人格发展上的致命伤。虽然小孩分担家事更能维持房子和庭园的整洁，并养成小孩顺服的品德，然而吉诺特博士认为，这些工作会造成不良的情绪反应。即使当小孩收养猫、狗等小动物时，父母也应该替他们负起照顾和清理的责任来。

3.正如我料想的，吉诺特博士认为体罚小孩是一种暴力行为。他认为责打无异是原始民族的手段，只能教会小孩去打人或欺负人。因此，他希望父母可以为他们自己不文明的情绪，找到一些文明的发泄方式，而不要诉诸于责打。

4.吉诺特博士举了一个例子，是一对夫妇带着自己的孩子到玛莉阿姨家作客，他们的孩子在玛莉阿姨的沙发又蹦又跳。难以置信的是，吉诺特博士对此竟然建议做母亲的不必理会小孩的胡闹，任由玛莉阿姨来管教处理。他的观点是，孩子在外作客对别人的话比较听从，因此做父母的可以视而不见。

对于这个例子，你是否能想像当时的情形呢？托尼小子正把玛莉阿姨的新沙发当狗窝践踏，而做母亲的却安坐一旁、毫无表示。而玛莉阿姨的血压直升220，只是碍于颜面，不好意思发作。等到她忍不住时，她极有可能把托尼和他那迟钝的母亲踢出门外去。然而吉诺特博士可不这么认为，他认为主人有责任建立和执行自己家中的规矩。假如玛莉阿姨遵照吉诺特博士的建议，静静地把在沙发上又蹦又跳的托尼一把拎起，拉到屋角的椅子上去罚静坐，这下子可该轮到托尼的母亲血压猛涨了。两种情形下，能保持冷静的惟有这个把别人的家具当蹦床的小子了。

不行！我认为吉诺特博士的书固然有其他的存在价值，可他对管教的原则显然一窍不通。

如何培养有个性的孩子

第八章
如何养育 H 症的孩子

精力过盛(Hyperactivity)，又被称为运动机能过盛症、小脑机能不正常、缺少控制冲动的能力、小儿多动症或其他，名称至少有30种，以下简称H症。它代表过度或不由自主的好动。

一个好动的小家伙很知道如何捉弄大人——对他那惊慌失措的父母更是如此。

现在让我们来看看小孩精力过盛（Hyperactivity）的问题，这也是令许多父母普遍感到特别困扰的难题。最近有个母亲向我抱怨，她那学龄前的小孩好像一架喷气式飞机。他从早到晚，无休无止地闹个不停。她形容道，要他安静个一时半会儿，比在荷包蛋上缀钮扣还要难。我对她的问题深表同情，我在工作中也碰到过类似的小孩，他们威胁着要在短短的就诊时间内摧毁我的办公室。

有个名叫科特的7岁小孩患了大脑先天愚形（一种智力迟钝症），好动异常。从他一进我的办公室，就真的开始"攻击"办公家具。他在我办公桌上爬，打翻我摆设的画、文件和镇纸。他抓起电话，把它举到我耳边。我做出跟一个莫须有的神秘通话者交谈的样子，好引他高兴。可转眼之间，他脑子里又有了新的目标，他飞身跳下我的办公桌，闯进隔壁一位心理医生的房间里，要求我的同事也玩同样的把戏。就这样，两间办公室的电话都被拿了起来，这个7岁的小家伙把两个儿童发展"专家"都骗过了。我和同事在电话里说着些不着边际、莫名其妙的话。这真是一次尴尬的经历。

一个好动的小家伙很知道如何捉弄大人，特别是对于他那惊慌失措的父母。如何处理这一类的小孩正是这一章中所要讨论的，因为再没有一类小孩比他们更"意志强大"了。这类小孩因生理机能或情绪的缘故不服从大人的管教，而且个性十分倔强。我们先看看这种小孩的问题，接着再建议一些管教和引导的原则，用问答的方式来对这个问题做一个简扼的说明。

什么是H症？（What is Hyperactivity）

精力过盛（Hyperactivity），又被称为运动机能过剩症、小脑机能不正常、缺少控制冲动的能力、小儿多动症或其他，名称至少有30种，以下简称H症。它代表过度或不由自主的好动。其症状包括注意力涣散、躁动不安和能集中精力的时间段短等行为。对一个病情严重的小孩而言，他是绝对无法在椅子上静坐一会儿，也无法减缓他的好动程度的。他受到一股他自己无法解释，也无法改进的内在力量所驱使，止不住地要动来动去。

H症产生的原因？

H症通常是由于中枢神经系统受伤所引起的，同时也可能是因为情绪压力过大或过度疲劳的缘故而产生的。有些专家相信，自然生产（而非剖腹）的小孩，在出生的过程中或多或少都会受到一些脑组织的损伤，严重时会造成脑中风。轻度和重度的差别主要在以下三方面：1.受伤的位置；2.受伤的范围；3.伤害发生速度的快慢。

因此，某些患有H症的小孩，可能只是早期脑细胞内部损伤的缘故，并没有其他的问题或症状在内。然而我必须强调的一点是，这些都只是假设而已，医学界对这个病症的了解仍然十分有限。

为何脑组织受伤会引起过度兴奋的反应？

目前的医学对人脑和人脑功能的了解相对较少。我见过一个脑神经受伤的小孩，他能认识"关门"这两个字。可是当你把这句话写在纸上让他去做时，他可是一副茫茫然的模样。然而如果把他自己的话"关门"录在录音带上，再重新播放给他自己听，他就完全明白了。另外，有一个精神病人可以把一架复杂的电视机完全拆开并重新组装好。但是一离开病院的范围，他却无力照顾自己的生活起居，连基本的生活常识都不会。还有一个在战争中受伤的人，他非常悲惨地从此失去了静思默想的能力，他必须整日喃喃自语，把自己心里最隐私的话都全部说出来，使得他四周的人都感到尴尬和吃惊。

脑功能不健全会引出一些奇怪的行为，包括过度兴奋在内。至今尚无人能够把这些原因解释清楚。只有一点很清楚，控制人体运动的生化机能已经改变了，使得运动肌肉受到过多的刺激。

为何焦虑和情绪问题会导致H症？

成人在严重的压力和焦虑之下，他们内在的紧张会很明显地表现为身体动作———一个在产房外面焦急期盼的父亲会不停地"踱方步"、一根接一根地抽烟，或双手抖个不停；当两队胜负未卜之际，篮球教练会沿着边线不断地跑来跑去；有人一紧张起来就呆若木鸡，可他的指头却紧紧地握着，会把下巴缓缓地左右摆动。因此我认为，随着紧张程度的加大，成人的身体动作也会随之明显增加。

那么对一个不成熟的孩子而言，他的反应又是如何呢？小孩一紧张起来，他可不只是用手指头敲敲桌子就罢了，他很可能会尝试爬上窗帘，或在天花板上倒着走。

是否能及早诊断出患有H症的小孩？

H症严重的小孩在1岁左右学步的时候便可以看出来了。事实上，你想不发现都很难。等到他2岁半时，他的母亲可能已经累得支持不住了。他激怒自己的兄弟，吓得祖父母从婴儿床边逃开。全家上下无一能够幸免，都被他闹得鸡犬不宁，难于招架。医生可能会安慰你，这只是过渡期。然而日子一天天过去，情况愈来愈严重，他横冲直撞，一副不把世界搞得天翻地覆誓不罢休的样子。雷肖（Domeena Renshaw）博士在她那本极其出色的专著《精力过盛的小孩》中，对一个这样的小孩有过非常精彩的描绘：

"我曾经接触过最小的一个患H症的小男孩只有1岁半，他在全家排行老六，也是最小的一个。他父亲是一位土木工程师，母亲天性快乐聪明。小家伙是自然生产，他从母亲肚子里出来的速度极快。出生之后发育缓慢，然而一到15个月大的时候，他不只是满地乱爬，而是撒开腿'飞奔'了。他几乎不用牙牙学语，就开始整句整句地说话。从那时起，屋子里仿佛遭到台风肆虐，一切都东倒西歪的。他一早爬出小床

（才15个月！），直到午夜才酣然入睡，小小年纪就把午觉给省了。他整天动个不停，极容易受干扰，从不坐下来看电视。吃一顿饭，大人必须反复十几次把他抓回到桌前的高凳子上坐好。在他眼里，"危险"根本就不存在，他手上骨折留下的瘢痕是两次从同一棵树上摔下来的结果（另有三次幸亏只是擦伤而已）。他的哥哥姐姐们认为他是只'蛮牛'，父母的奖励和惩罚对他都是一概无效。"

这章稍后的部分，我们还会看到这小家伙出了什么事。

是否有所谓"正常的Ｈ症小孩"？

当然没有！并非每一个好动、好扭来扭去和蹦跳不止的小孩就是所谓的Ｈ症小孩子。大多数学步期的小孩，多半从日出到天黑都动个不停（可怜的妈妈也只好跟着动个不停了）。

那么，我如何知道我的小孩，只是正常的好动或是真正的Ｈ症的小孩呢？我如何得知，他到底是情绪反应还是生理伤害呢？

这是很难回答的问题，很少有父母受过专门的培训可以分辨出来。想知道自己的小孩是否患了Ｈ症，最好的途径是去看小儿科医生或家庭医生。就是医生也只能半猜测半诊断的，不过他能做出完整的医疗评估。必要时还可以介绍你去看专门科的医生，寻求特别的帮助。你的小孩可能需要一个辅助阅读的教师，或者帮助培养说话和听力的治疗人员，或者是评估他的智力和知识能力的心理医生。

若是可能，尽量不要独自处理Ｈ症的小孩，他需要专门的帮助和辅导。

营养对H症小孩的影响如何？

营养对H症的作用是一个很有争议的问题，我自己也无法肯定这二者的关系为何。我只能提供自己对这一问题的看法。根据普遍的说法，H症的小孩是因摄食了过多的糖分、红色食用色素，而维生素不足以及种种原因导致的营养不良等综合因素造成的。我一点也不怀疑，不当的饮食习惯会破坏身体的健康，而很容易与H症发生联系。不少流行的育儿书一讨论到这个问题，作者便俨然以专家自居，其实很多结论都还是未经证实的。有许多"权威"在这个问题上也争论得很厉害，这足以说明那些答案还有待考察。

最令我尊敬的营养学专家是那些以谨慎、科学的态度对待这一极其复杂问题的人。那种自以为是的专家的人，他们绕过自己的职业修养，直接向公众宣示未经证实的结论。对他们的做法，我表示非常怀疑。

我的忠告是："有效就得了！"如果你避免给小孩食用某类食物之后，他会变得更安静或更镇静，那就运用你的判断力，决定是否继续使用食物控制法了。

H症的小孩是否很普遍？

权威人士对H症出现的几率看法并不一致。然而10岁以下的男孩，可能有6%至10%的人是H症的小孩。男孩的出现概率比女孩高，比率为4:1。

父母应该怎样对待H症状的小孩?

患有H症小孩的母亲，心中会感到特别矛盾。一方面，她知道小孩是有问题的，她满怀爱心和同情，为了帮助他什么都愿意付出；然而另一方面，她又恨他搅乱了她的生活。小家伙整天不是打翻牛奶，就是打破花瓶。在公共场合，他老是出丑，使母亲窘迫不堪。而且对妈妈为他所做的牺牲，他更是一点也不知感谢，等到他上床之后，做母亲的感受仿佛经历了整整一天的孤军奋战。

当真挚的爱意和强烈的恨意交织撞击在一起时，在父母心中会不可避免地产生一股巨大的罪恶感。这对母亲心灵的平静和身体的健康，都会造成巨大的伤害。

H症的小孩是否还有其他问题存在?

H症的小孩精力过剩，除了过度兴奋、动个不停外，还有另外三个特别容易遇到的问题：

第一，受到朋友的排斥和拒绝而产生的心理问题：他精力过分的举动不但会惹火大人，而且让他的朋友也要退避三舍。在班上，他会被贴上"捣蛋鬼"和"傻瓜"的标签。而且，他的情绪极不稳定，没来由地一会儿哭，一会儿笑，让同伴觉得他举止怪异。总之，患H症的小孩常常有很深的自卑感，受到拒绝和和藐视的时候，他的情绪反应会很激烈。这也是由于没有自信心的缘故。

第二，H症的小孩在学校里，通常也会遇到严重的学习问题。要他安静地坐下来学习或注意听老师讲一会儿都异常困难，也许根本就是不可能的。整个小学阶段，他的注意力都难以集中，因此老师讲课时，他常常淘气和开小差，根本不知道上了些什么课。而满心挫折的老师只能用"云里雾里"来形容他的表现。

第三，H症的小孩子还有一个非常普遍的学习问题，那就是视觉障碍。小孩子本身的视力可能一点问题也没有，但就是"认不出"一些记号和印刷文字来。换句话说，他可能只是"看"到了，但是他的脑子却无法理解所看到的符号。某些字母和数目字呈现在他眼中的样子可能是颠倒或歪斜了。因此要这样的小孩学会念书或写字是极困难的。

阅读是一项极复杂的神经技能，整个过程涉及到辨识符号、讯号传递至脑部，再经过诠释、记忆，（也许）还得转化成口头语言，才算完成。在这整个过程中，若有一项功能遭破坏时，便会影响到整体的功能。而且，整个过程要求的速度极快，且需连续稳定地进行，才能将外界的文字逐一转换成完整的概念。许多H症的小孩本身就缺少这种神经功能，因此一上学就注定要失败的。

有办法治疗H症的小孩吗？

目前有许多医学办法，通过临床验证，对H症的小孩确实有镇静的作用。然而每个H症小孩脑子的化学构成都是十分特别的，因此必须会同医生找出适当的药物和剂量来。我必须强调一点：除非真的必要，否则不要用药。有时候，这些药物被不加区别地开给这些孩子，仅仅是因为他们的父母或老师希望他服用。这种做法是不可原谅的。每种药物都有副作用，包括阿斯匹林止痛药在内，必须经过谨慎地评估和研究之后，才能开给小孩服用。不过，如果你的孩子确有我所描述的症状，且经由神经科医生和可靠的医生诊断之后，你可以不必犹豫地照处方施药。如果药物使用合理得当，小孩的行为可以立即出现改观。

前面雷肖博士提到的那个小孩，经过得当的服药治疗以后，其行为发生了以下的改变：

"治疗的第三天，他早晨8点起床。全家吃早餐的时候，他只有两次试图溜下桌子（以前是十几次）。现在他已经6岁了，在普通的一年级小学生中算是非常出色的。现在他只需三个月去看一次医生就可以了。"

长期服药会不会让小孩养成依赖药物的习惯？

大多数医学权威认为，童年时期经常服药的经历，并不一定会使小孩在以后的生活中养成依赖药物的习惯。事实上，1971年联邦政府指定了一批人专门来研究这个可能性。研究结果强调了H症的小孩合理进行药物治疗的必要性：有些小孩应该服用合适的镇定剂。

药物可否解决一切问题？

通常并不是这样的。以下是药物治疗对H症小孩的三个主要问题的疗效：

1.过多的活动量：药物使用合理时，对将小孩的活动量降到"正常"水平，十分有效。药物治疗对控制这一症状是最成功的。

2.心理问题：药物对心理问题的帮助不大。一旦小孩的活动量"平缓"之后，重新建立自我形象和争取得到社会（父母、同伴、老师、同学）接受的问题便变得非常迫切。服用药物固然使这个目标成为可能，但是药物本身并不能解决这个问题。

3.视觉和感官的问题：使用药物对知觉神经功能不健全是没有什么效用的。有一些被证明有效的训练方法，父母可以酌情采用。

显然，药物治疗并不能解决一切问题。除了服用药物以外，还必须有父母的帮助、教育方法的改进和环境的配合，帮助H症的小孩适应生活。

父母应如何管教H症的小孩？

由于仅仅因为H症的小孩有生理上的问题，H症的父母通常流于放任纵容小孩。我认为这绝对是不可取的。每一个小孩都需要一个界限来确保安全，对H症的小孩也不例外。大人应该教导H症的小孩为自己的行为负责，与家中其他的成员一样。当然父母必须根据他的能力，适当调整对他的期望值。举例来说，很多父母惩罚犯错误的小孩静坐板凳，可对H症的小孩而言，这是行不通的。同样地，体罚对这个全身带电、一触即发的小家伙来说，有时也不管用。父母必须针对他的特别需要和个性，来调整对他的管教尺度。

那么应如何管教H症的小孩呢？下列18项建议是从前面提

157

过的雷肖博士的书中抄录下来的，对父母应该有所帮助。

1.管教的规矩和方式要小心，应当前后一致。

2.说话声音应尽量保持轻柔与缓慢。虽然对H症小孩生气是难免的，但你可以控制怒气。生气并不表示你对孩子就没有爱心。

3.在处理那些不可避免的混乱情形时，一定要努力保持冷静。小孩若有好的表现，无论多么微不足道，都应当给予注意和奖励。如果你想发掘事物美好的一面，你必然不会落空的。

4.避免连续使用否定语气："停下来……别……不行……"等等。

5.把你不喜欢的行为与小孩本人分开，你可以这样说："我喜欢你，但是我一点也不喜欢你弄得满屋子都是泥巴。"

6.H症的小孩应该有清楚固定的生活规律。为你的孩子制定一张作息表，规定起床、吃饭、玩耍、看电视、做功课、做家务和就寝的时间。即使有时做不到也没有关系，定时的作息会帮助H症的小孩逐渐上轨道，慢慢地他就会发展出自己适应的体系。

7.教他新的事物或困难的功课时，以简短、清楚和平静的口语来解释，伴以手势和动作，反复再三直到他学会为止。这种伴以视觉和听觉形象的方法将帮助他的学习。H症的小孩需要花更长的时间才能形成记忆，所以必须极有耐心地再三重复。

8.设法让他拥有单独的房间，或是给他一块属于自己的小领地。避免使用鲜艳的色彩或复杂图形的装饰物来布置房间。

摆设简单，色彩单纯，尽量减少不必要的干扰。要小孩面对空白的墙壁可以帮助他集中注意力。H症的小孩，自己并不知道如何"过滤"掉不必要的刺激。

9.同一时间只做一件事情：从锁上的玩具箱里只拿给他一件玩具；画图时就把桌子上其他东西都清除干净；做功课时把收音机和电视机关掉。多重的刺激会使他无法将注意力集中到自己基本的任务上来。

10.给他分派责任，这是成长过程中极必需的一课。交给他的任务应该在他的能力范围之内，当然还需要父母从旁监督。即使他做得并非尽善尽美，也别忘了给他承认和鼓励。

11.注意他脾气发作的前兆，悄悄地岔开或分散他的注意力，或冷静地与他讨论惹他不开心的事。带领他离开"战斗"发生的现场，到他自己的房间里去待几分钟。

12.每次将他的玩伴的人数控制在一个到两个，因为他很容易过度兴奋。最好在家里，因为你可以提供适当的环境，并在一旁监督。向他的同伴说明必须遵守的规则，向对方家长简短说明你的苦衷。

13.不要同情、嘲笑、害怕或纵容这样的小孩。他有不同于常人的神经系统，但却是可以控制的。

14.知道必须服用的药物的名称和剂量。定时给他服用药物。注意观察用药后的效果，并将结果报告给医生。

15.公开把你对服用药物的担忧与医生讨论。

16.把家里所有的药品都锁起来，包括给小孩服用的药物，免得小孩误用。

17.小孩服药时，大人必须在旁看顾。即便服用期很长，服药已经成了日常习惯之后，也得坚持父母在这方面的责任。

等到他年龄渐大，比较独立以后，可把当天的药剂放在一个固定的地方，按时查看。

18.与他的老师讨论和分享你的管教"心得"。这些帮助的方法对于你的H症小孩是十分重要的，就像胰岛素对于糖尿病的小孩一样重要。

父母对H症小孩的学习成绩应持何种态度？

让我们来看看有学习困难的小孩。对于他们极差的学校成绩，父母应该怎么办呢？自然，做父母的应当尽量给予课业辅导和特别的指点。除此之外，我强烈建议父母在家里不要强调成绩的优劣。

要求一个视觉有障碍的小孩子与正常的小孩竞赛，就如同逼迫一个小儿麻痹患者去跑百米冲刺一样。想一想，当小孩一颠一跛地最后一个跑过终点线时，满脸不悦的父母亲站在跑道旁，一个劲地责备他。

"为什么你不能跑快些，儿子？"母亲的语气里带着明显的不高兴。

"我看你根本就不在乎输赢！"父亲面带愧色地骂他。

这个小孩该怎么向父母解释呢？他根本就不理解，为什么他的腿不能让他跑得像别人那样快。他只知道，别的参赛者一个个地超过他，朝着观众的欢呼声冲去。但是怎能指望一个小儿麻痹症儿童胜过他那些四肢发达、身强体健的同学呢？这是不公平的，因为他的脚有残疾，每个人都知道这一点。

不幸的是，这些学习能力有问题的小孩并不容易为人理解。别人总是把他的成绩差归因于懒惰、淘气和故意不努力。结果，他承受了很大压力，别人要求他去做到自己不可能做到的事情。当一个小孩面对这样的情形时，只会对他的情绪状态造成伤害。

　　让我对上面这一段话再进一步说明：我相信取得优异学习成绩的重要性。我希望每个小孩的智力潜能都能充分地发挥出来。我不赞成父母任由小孩随心所欲、不负责任，他不想做功课就不做了。毫无疑问，孩子接受好的教育，养成良好的学习习惯，绝对能使他一生受益。

　　但是从另一方面来看，生活中还有许多比成绩优秀更重要的事，小孩子对自己的信心和价值的感受，便是其中之一。一个不知道动词和名词有何差别的小孩，仍然可以生存。然而他若是没有一定的自信心和个人尊严，那他在生活中可是一点机会也没有了。

　　我要再一次宣示我的信念：一个不能适应传统教育制度的小孩子，并不意味着他比他的同学低一等。他与那些成绩优秀的小明星拥有同样的人性价值和尊严。以小孩子的智力和外貌来衡量他的价值，是一种愚昧而极不合理的文化偏见。

　　每个小孩在上帝眼中都具有同样的价值。对我来说，这就够了。因此，如果我的孩子不能在某一种环境中成功，我会转而为他寻找另一种适合他的环境。我相信，任何一位有爱心的父母都会这样做的。

H症小孩是否有痊愈的希望？

会有希望的，请一定记住这一点！随着青春期生理的成熟和内分泌腺的改变，H症的小孩到了12岁至18岁之间，通常都会逐渐开始安静下来。因此，我们少有看到一个成人会突然从椅背上跳起来或者躺在地板上打滚。不过，对于那些极度苦恼的H症小孩的父母来说，成天追逐一个不肯停歇的小家伙，简直使人身心俱疲。即便知道再挨几年噩梦就可以结束了，恐怕他们心里还是得不到太多的安慰。

 **问题解答**

问：有一句话说："小孩应该随时被看见，不能让他们跑远了。"你对这句话是怎么看的？

答：这句话揭示了人们对于小孩的内心和他们的需求的一种根深蒂固的忽视。持有这种观念的父母是无法培养出正常健康的孩子的。小孩就像时钟一样，应该让他们自由而合理地奔跑。

问：我6岁的儿子一直是个精力旺盛的小孩，也有你所描述的症状——他的注意力集中的时间很短，一件事还没忙完，又去转到另一件事上了。我带他去看医生，医生认为，从严格医学的角度来说，他并不是H症的小孩，并不需要服药。可是他在学校中开始有些学习上的问题了，因为他无法静坐，专心在课本上。我该怎么做呢？

答：很可能你的小孩与其他同年龄的孩子比起来，他在生理上的发育还不够成熟。我觉得，留级一年对他或许会有帮助。如果他的生日在7月以后12月之前，我一定会要求学校辅导中心考虑这个可能性。让一个不够成熟的小男孩留级一年（在幼儿园或小学一年级），可以帮助他日后的学习，使他有良好的人际关系和成绩表现。然而必须帮助他在同学面前"保住面子"，这一点关系他的自尊心，非常重要。如果有可能，让他至少转学一年，这样可以避开一些尴尬的问题和免受以前同学的讥笑。

厌恶反应

问：他（指前面问题中的小男孩）也有尿床问题，你能提供一些建议来解决这个问题吗？

答：如果你的小孩有尿床问题，这更加证实他的生理发育还不成熟。尿床通常是这类小孩的通病。没有必要过分担心他像小婴孩的行为。每个小孩都有他自己的发育时间表，有些人天生就比较晚熟。不过，尿床会给年龄较大的小孩带来情绪和社会的压力，遭其他同伴嘲笑。他们会给他取诸如"午夜的水手"或者其他不敬的绰号。因此，最好尽快帮助他克服这个问题。我建议你使用Sears Roebuck and Co.售卖的一种名叫"尿湿报警器"（Wee Alert）的仪器。我发现对4岁以上的小孩，这种仪器十分管用。

尿床通常发生在熟睡的情形下，这使小孩很难自己学会控制这个问题。他那深度睡眠中的脑子根本不对尿意的信号和胀感做出反应，而普通的轻度睡眠者此时足以醒过来了。幸运的是，对那些睡得很沉的小孩，排尿的反应可以通过训练而习得。

当小孩晚上一尿床时，尿湿报警器就会发出极刺耳的铃声。你可以事先告诉小孩子去叫醒爸爸或妈妈，他（她）必须把小孩放进冷水盆里，或者朝他脸上泼冷水。无论用哪种方法，对小孩而言这都是极不愉快的经历，可它对小孩控制尿床的训练是十分关键的。你可以告诉小孩，这并不是对他尿湿床铺的惩罚，只是用来帮助他改掉尿床的坏习惯，这样他才能邀请朋友和同学到自己家过夜，也能去别人家过夜。冷水会让小孩从睡眠中完全清醒过来（对熟睡的人来说，这很痛苦），使他心理上再也不想重复这种经验。稍后，睡梦中排尿的轻松感便会和报警器的尖叫以及凉水泼脸的不愉快感受联系起来。当这种联结建立起来时，小孩便能控制自己的尿床了。

整个过程大约需要4到8周，有时会更快。我给儿子使用过这种尿湿报警器后，第三天晚上他便能控制自己的尿意了。

从心理学上讲，这叫"嫌恶制约"，也是一般用来帮助人戒烟的方法。

寓教于乐

问：你怎么才能使小孩变得彬彬有礼、肯负责任，尤其是他们对你反复再三的话充耳不闻时？

答：小孩天生喜爱玩各种各样的游戏，特别是当大人也能参与跟他们一起玩时。可能的话，不妨把你的要求变成游戏，使全家都能在快乐中领会你想教给他们的东西。如果你还想追问，不妨举个例来说明，看看我是如何教小孩子吃饭时把纸巾放在腿上的。以前我们每回吃饭都提醒了他们，用了二三年之久，都不见效。于是我们想出一个游戏来。

现在，如果我们杜布森家若有人忘记把纸巾放在腿上就动手吃东西时，他就得到他自己的卧室大声数数，从1数到25。这个方法倒挺管用的，只是有些明显的不便。你真不能想像，有时竟然是我和妻子站在空荡荡的卧室，对着墙壁，大声从1数到25，而我们的小孩竟然在一旁乐得咯咯大笑。那真是一种又愚蠢又受骗的感觉。特别是雷恩，他从不忘吃饭前将餐巾放在腿上，然后睁大眼睛捕捉其他人的失误。他安安静静地坐着，眼睛直视前方，待到其他人吞下第一口，然后他猛地转向"违规者"，大叫道："哈！去卧室数数！"

教小孩负责任时，有许多具体的目标，不过与管教小孩的故意反抗不同的是，玩游戏将始终是一种很好的选择。

如何培养有个性的孩子

第九章

关于"好父母培训教程"(P.E.T.)

通过学习服从父母充满爱心的领导,他们也就学习到了如何服从日后生活中会遇到的另一些权威的形式;对父母权威的看法,将直接决定他们日后与学校的老师、校长、警察、邻居和上司的关系。他们对孩子日后建立正常的人际关系是非常必要的。

对小孩而言，父母的带领是十分重要的，乃是要他们学习服从恩威并重的父母的领导，这样小孩也学习到了如何顺服日常生活中会碰到的一些权威的形式。

这本书讲到目前为止，我所建议的管教小孩的方法都是根据我的信念——爱和权威并重的父母才能给孩子和家庭带来健康和幸福。这一观念世世代代为人公认，可如今却受到许多现代的"专家"的挑战。

持这一论调的第一本畅销书，是由著名教育学家约翰·何德 (John Holt) 所写。此君以一本《小孩是如何走向失败的》 (How Children Fail) 而一举成名。接着在1974年，他又写了一本《挥别童年》 (Escape from Childhood)，这本书在我看来是不忍卒读的。《洛杉矶时报》对其评论如下：

"在最新的著作里，他 (何德先生) 公然主张推翻父母的一切权威。他讲到，小孩子无论年龄多大，都应该拥有以下的权利——包括享受性爱、喝酒、服用迷幻药、开车、投票、工作、拥有私有财产、旅行、拥有固定的收入、选择自己喜欢的监护人，控制自己的学习和负起法律和经济的责任来。

"简而言之，何德先生建议父母放弃对自己孩子的监护者地位，不顾美国或任何国家在过去数百年中所保持的传统，任由小孩投身于现实世界之中 (如果他们觉得喜欢的话)。"

对于这种说法，是不是只有我一个人觉得它很愚蠢呢？你能想像一个6岁的儿童开着车去自己的私人办公室，并在那里和自己学前班的女友讨论购买一座房子或一两瓶马爹尼酒的问题？你能想像一个泪眼汪汪的母亲站在门廊上对5岁的儿子说"再见"，因为他决定带上自己的长绒熊去跟别人一起住？我们是不是全都发疯了？

让我指出一点，这些愚蠢透顶的话并不是由某个来历不明的无名小辈随口胡诌的，是美国最著名的教育家之一给我们的哲学教义。更令人难以相信的是，何德先生所提出的这许多革命性的观念所得到的反响，根据他自己的说法：

"奇怪的是，我建议允许年轻人与大人一样，有酗酒、服用迷幻药和享受性爱的权利，这样的说法受到我预料中的猛烈抨击。读者的了解和同感远远超过敌视和反对。"

何德的看法有许多人附和，他们都主张"推翻父母的一切权威"。一个名为法森（Richaid Farson）的心理学家写了一本类似的令人气愤的书——《儿童权利法案》。这些人都属于《洛杉矶时报》所谓的"申张儿童权利运动"的前卫人士。

另外还有一个貌似理性（不那么极端），主张温和的"反对父母权威"哲学流派，他们的观念体现在一个名叫"好父母训练"（P.E.T.）的课程之中。这个课程的创始人是戈登博士（Dr.Thomos Gordon），他可能是现在对全美国的父母亲们最具影响力的权威人士了。目前，有8000多个教授的"P.E.T.课程培训班"遍布全国各地，每一个班都以不遗余力的热情推销戈登博士所发明的做父母的技巧。约有25万父母亲自聆听过戈登博士的演讲。《纽约时报》称P.E.T.为"全国性的时尚"。

　　若要评论戈登博士的训练课程，最好的方法是把他的主张和哲学，与传统的价值观来比较一番。

不是输家也不是赢家

　　P.E.T.最大的贡献在于教给父母倾听小孩的技巧。戈登博士指出，许多做父母的不懂得倾听小孩讲话。当然话是听到了，但他们却不能领会小孩藏在话语背后的真正意思。主动地、用心地听小孩讲的话，这是每个父母都必须学会的一件事情。这也是我衷心赞成的。

　　然而对P.E.T.的哲学追根究底，你就会发现，它是将父母和子女的关系转化成一个"没有赢家、没有输家"的模式。根据这个原则，当双方产生冲突时，应当寻求一个双方都能接受的解决途径。让我从戈登博士的书中举一个例子来说明他的原则吧。这个事例讲了一个叫波尼的5岁女孩，她不喜欢一早醒来就把衣服穿上。即便她的母亲早早叫醒她，这个上幼儿园的小女孩仍然磨磨蹭蹭、东玩西晃，最终把家人搞得做不了正事，常常迟到。这时，母亲可以对波尼大声吼叫，或者责罚她的拖拉，或奖励波尼自己穿衣服的行为。但她母亲却选择另一种方式——坐下来同波尼谈话，寻求达成一个双方都能接受的协议。

　　在谈判中，波尼说她就是不喜欢去幼儿园，宁愿留在家中与母亲玩。最后，母亲和波尼都同意，如果她早上动作快些，放学之后就可以不睡午觉与母亲玩一个小时。用这样的方法，她们就达成一个协议，从理论上可以解决双方的问题：

既能够使小孩在早上迅速穿好衣服（母亲所盼望的），又能拥有一个快乐的午后游戏时间（这是波尼渴望的）。因此，双方都没以对方的不愉快为代价"赢得"冲突，同时他们也都没"输"。

当然，我相信在父母和孩子之间，有很多事情是可以彼此协商达成解决的。比如答应6岁的强尼让他看晚间儿童节目，他就会自觉自愿地睡个午觉；如果10岁的儿子愿意把自己的房间打扫得干净整洁，母亲就可以开车送他去练棒球。很明显，人与人之间，无论是父亲和儿子、丈夫和妻子或者基辛格和阿拉伯人之间，总有协商的时间和余地的。协商结果总是双方扯平、皆大欢喜。

反对父母的一切权威

P.E.T.课程令我担心的地方并不是它宣扬使用"圆桌会议"的办法（只要是情形允许，我也赞成），而是戈登博士反对一切形式的父母权威。看看他书中所举的例子：

固执地坚持认为，父母应该使用权威来对付小孩。在我看来，这个观念正是近几个世纪以来在儿童教育方面乏善可陈的主要原因。

小孩憎恨那些有权管束他们的人，他们不喜欢父母以权威自居，或以权威的口吻来威胁他们，限制和改变他们的行为。总之，小孩希望自己拿主意，如果他们"自己"认为他们的行为有改进和修正的需要时，他们会去做的。小孩与大人一样喜欢自己作主。

我的信念是，随着有更多的人开始更透彻地了解权力和权威的含义，认识到使用它们是不道德的，更多的父母就会不得不开始寻求一些更富创意的、不涉及权力或权威的做法，来对待小孩和年轻人了。

戈登博士既然倡议打倒权威，他因此也建议父母参阅何德和法森（前面已经提过）的著作。戈登博士尤其对法森那本《儿童权利法案》推崇备至。他写道："这本书可以帮助父母们建立一种全新的观念，使他们不必再为他们下一代的价值观和行为负全部责任，也免去了这种做法常常伴随而来的内疚和罪恶感。"

尊重父母的权威

对孩子的成长来说，父母的引导是十分重要的。通过学习服从父母充满爱心的领导，他们也就学习到了如何服从日后生活中会遇到的另一些权威的形式。对父母权威的看法，将直接决定他们日后与学校的老师、校长、警察、邻居和上司的关系。尽管P.E.T.课程蔑视这些形式的权威，然而它们对小孩日后建立正常的人际关系是非常必要的。若不尊重权威，只能产生无政府主义、混乱和晕头转向的情形。

保持父母在家庭中的权威地位，还有一项非常重要的理由，就是当小孩服从父母的满怀爱心的带领时，他也学会了与别人相处。

我经常使我的儿子失望。有时我太疲惫了，不能满足他的要求；有时我人性的弱点会完全暴露出来；很多时候，我只会令他失望，而随着他的年龄渐长，他理想中的我和实际的我之间的鸿沟也就愈大。我可一点也不想在我儿女的心目中扮演上帝的角色，然而我别无选择。这是造物者赐给父母的一项不可推卸的责任，就是在儿女面前代表上帝。

因此，我们必须把上帝的两种特性告诉给下一代。首先，我们在天上的父亲是一位无限慈爱的神，我们的孩子必须通过我们父母对他们的爱，体会造物主的仁慈和温柔。

若单单向小孩表达爱意却毫无权威，无异于歪曲了神的本性。其错误不亚于完全采取铁腕手段而毫无爱心的管教。

教会他服从

只知道与父母和老师"谈判"的小孩，是不可能学会服从的。如果他们从小就不知尊重父母的权威，并对父母的领导嗤之以鼻，反驳父母，不听父母的教训，从懂事开始，就极端以自我为中心。

另外，戈登博士广受欢迎的哲学中，还有两个观念使我深感困扰。

1.人性本善。"儿童天性是善良的，然而受到了父母和周围环境的影响，才被玷污。"

戈登博士在1976年的一个电视访谈节目上，阐述了他这一乐观的观念。在他的书中，这种说法也比比皆是。在提到小孩说谎的倾向时，戈登说道："小孩经常说谎，这是因为有许多做父母的过度依赖奖励和惩罚的手段。我坚信说谎并非小孩与生俱来的倾向，而是学来的行为……"

那么争论小孩天性到底如何，这有什么意义呢？事实上，关系重大。那些相信小孩本性光明和善良的父母，就必须放手，容让小孩顺着他讨人喜欢的天性自由发展；然而那些相信在小孩心中存有良善和邪恶之争的父母们，就会竭尽所能地来影响小孩的决定和选择——塑造小孩的品格和意志。

2.转移的现象。"做父母的没有权利或义务，把自己的价值观、态度和信仰传递到下一代的心中。"

这种说法如果早几年出现，必然引起众人一片轻蔑和辱骂之声。然而葛登博士如今却毫无惧色地挑战这古老的智慧。他在P.E.T.的课程中写道："问题是，该由谁来决定整个社会的最佳利益到底为何呢？是孩子呢？还是他们父母呢？谁最清楚呢？这是个十分困难的问题。如果把'最佳利益'的决定权交给父母，那是有危险的，因为他们可能不够聪明来做这个决定。"

P.E.T.教程的功与过

以前我应一家杂志的邀请，专门写过一篇文章评论P.E.T.教程。我上面写的东西，基本是对这篇文章的引用。重读一下我对P.E.T.教程的评论，我发现我可能对P.E.T.课程好的一面强调得不够。任何一个成功的课程绝非出于偶然，只说它的缺点是不公平的。这个课程在教导父母倾听的技巧和培养父母的耐心，以及如何采用协商的方式来达成父母与子女间的和谐方面，有着颇有价值的贡献。对那些想了解他们的小孩、培育出健全的下一代的父母而言，这个课程的训练是很有必要的。

然而在我看来，戈登博士所持哲学中的巨大错误远远大于他的贡献。他的三大缺点是：1.不理解父母适当的权威对一个家庭的重要性；2.他的人文主义的人性观：认为小孩天生善良，一切过错和罪恶都是后天习得的；3.他不赞成父母趁着儿童"可塑"的年龄，把自己持有的价值观和精神品德系统地教导给他们。

问：戈登博士曾举例提过，有个小孩把脚踩在客厅里的昂贵家具上。父母对他的做法非常生气，命令小家伙把脏脚丫放下来。然后他又讲，如果遇上来访的成人客人这样做，他们会以非常有礼貌的方式处理同样一件事情，而且不会批评或处罚这位客人。然后戈登博士问道："难道小孩就不是人吗？为什么我们不能以朋友之礼对待他们？"你对葛登博士的说法有什么评语？

答：我的看法是戈登博士所说的有对也有错。如果他强调的重点是，我们应该对小孩更有耐心和尊重的话，我是十分赞成的。不过，他让父母对小孩和来访的客人一视同仁，这显然是不合理的。我们对客人不必担负教导适当礼仪的责任，可对自己的小孩却应该无可推诿地负起这个责任来。进一步说，这个例子把成人和小孩的所作所为等同起来，认为他们的心理动机是相同的。这是不正确的。

正如我前面所提的，小孩的出格行为，通常是在试探父母亲的胆识，试探他们对家规的认真程度。他心中其实盼望父母画出确定无疑的界限。与此相对，当客人把脚摆上咖啡桌或沙发上时，很可能只是因为疏忽或无意识的缘故。

更重要的是，这个例子很狡猾地重新界定了父母与子女的传统关系。按照戈登博士的说法，父母不再对小孩子担负直接教导、训练和带领的责任了。相反地，他们变成了小心翼翼的合伙人，只能默默盼望他那个独立不羁的"小客人"逐渐地领会他们的苦心。

不！小孩子并非家中的过客。他们是家中的成员，父母可以爱他们、教给他们一些基本的价值观，为他们日后的生活打下基础。

问：你提到父母"适当地"使用权威（authority）和纯粹地运用权力（power）是不同的。可戈登博士却在自己的书中不加区别地使用这两个概念。到底这两者是否有差别？如果有，差别何在呢？

答：戈登博士在他的书中常把权威和权力两个名词混用，模糊两者之间的区别，多达二十几处。我只能假设他把所有的权威形式都看成是不道德的压迫。

在我看来，权威和权力的不同，恰如爱与恨之别。父母的"权力"（power）可以定义为：是大人出于自私的目的，用以控制和操纵小孩的方式。因此，它并没有把小孩子的最佳利益考虑在内，而是任意践踏，在父母和子女之间制造的是一种恐惧和威吓的关系。海军陆战队的教官们以善用权力出名，他们用这种方式来训练那些刚刚入伍的新兵们。

相反，适当的权威（authority）乃是充满爱心的领导。如果人类世界没有决策人和同意服从命令的人，那么人和人的关系只能是混乱、喧嚣、无秩序。充满爱心的权威是保持社会安定的黏合剂，对一个家庭健康正常的运转更是必不可少。

有时，我会对我的儿子说："雷恩，你今天这么疲倦是因为你昨天睡得太晚。快去刷牙、换上睡衣、早些上床吧！"这听起来像一个建议，可在雷恩耳里，却是有着不可置疑的效力的。如果按照戈登的定义，这就是父母施于儿女的"权力"，就让它是吧！我可不是每一次都有时间坐下来与儿子"谈判"的，而且我也不觉得有义务对每件事都达成双方认可的协议才行。我有"权力"做我认为最符合他最佳利益的事情，很多时候，我不希望他讨价还价，只是要求他服从。这种权威与自恃高大、滥用能力、满是恶意和仇视的心态绝对不同。

问：戈登博士建议父母使用"我"而不用"你"的语气，你的意见为何？

答：我觉得，这个观念确实有一定道理。使用"我"的语气可以要求对方改进，又不至于令人不快。比如："丹妮！邻居进来看见你房间乱成这样，我会觉得很丢脸的。我希望你能把房间收拾一下？"相反，"你"的语气通常涉及到对个人的职责攻击，引起对方自卫。比如："为什么你就不能把东西收拾好？帮帮忙，丹妮！你一天比一天邋遢了！一点也不知道负责任！"我同意戈登博士的看法，第一种沟通方式显然比第二种方式有效，这是十分聪明的建议。

　　但是设想一下我带4岁的儿子雷恩上市场买菜时，他肆意捣乱一番，把所有的规矩都违反了；因为我不肯替他买汽球，他就大发脾气，动手打了另一位顾客的小女孩；付钱时硬是抓着一把泡泡糖不肯放手。当我带着亲爱的雷恩出了市场后，毫无疑问，他会听到不少的"你"如何如何的话。比如："到家后，小伙子！你的屁股会挨揍了！"

　　我的看法是：生活中的有些时候，父母不是以平起平坐、同伴或好友的身份对孩子说话，他们是作为权威教导孩子。在那些情况下，偶尔用"你"的语气可能比用"我"更能表达父母心中的感受。

　　问：戈登博士认为，父母也不知道怎样做才是对小孩最好、最符合小孩的最佳利益。你觉得自己能够毫不迟疑地替你的小孩做出重大的决定吗？你如何知道你所做的决定，从长远看来对小孩一定是有益处的？

　　答：无可否认，我也会犯错。我的人性弱点会不时暴露，而有时候，我的小孩也是我的缺点的牺牲品。虽然如此，我不能因为没法拥有完善的智慧和见识，便就此放弃我引导的责任。此外，我确实比我的小孩拥有更多的经验和更广的见识，他们所要走的路我已经走过了。

　　有一个发生在我生活中的例子很有说服力。我女儿有一只宠物老鼠，我们都叫它"哈密"。它一直想重获自由。每天晚上它都要咬一阵笼子的金属条，把它的头从栅栏之间用力地挤出去。最近，我常常坐下来看它逃出笼子的种种努力，而且我还不是惟一看它的。西吉就蹲在几英尺远的地方，它竖起的耳朵、转动的眼珠和呼呼喷出的气息都在昭示着它内心的罪恶想法。西吉在想："来吧伙计，快冲向自由。咬断那些栅栏，我要让你见识见识你从未体验过的激动！"

多有趣啊！此时我想到，这只老鼠最大的渴望如果有幸达到的话，竟会带给它迅速而痛苦的死亡。它却没有那种洞见来意识到它的渴望是愚蠢的。在人类的经验中，其实也不乏这样的例子。在很多情形下，我们孩子的某些渴望和欲求如果被允许的话，那将是有害甚至灾难性的。他们会选择深夜才上床睡觉，不做家庭作业，没完没了地看卡通，一口气吃一打巧克力。在大一些的时候，他们也不会觉得服用毒品、过早的性体验、无休止地追求感官刺激有什么害处。就像老鼠哈密一样，它看不见潜伏在阴影中的危险。是啊，有多少青少年在还没弄清自己是否犯了错误以前，便被"吞没"了。

我想再说一次，我为自己的小孩所做的决定，并非是绝对无误的智慧。然而，这样的决定是出于父母的爱，尽我所能地来帮助他。

问：你在早前提到过，小孩子喜欢试探他们领导者的勇气和决心，只肯接受通过考验的领导者的爱。为什么你会如此认为？

答：我不知道如何证明，但是我想所有学校的老师都会同意这个说法。除非学生尊重了你的权威，他们才会接受你付出的爱意。那些试着在9月开学时只散播爱心，到第二年1月才开始管教的老师，注定是要失败的。（这是为什么我建议老师们不到11月底的感恩节，千万不要向学生露微笑的理由。当然这一半是玩笑，可也有它的寓意。）

可能我最失败的经历，就是有一次我向一群学教育的大学生们演讲。他们即将毕业，很快就会在自己的课堂上执教。令我感到十分沮丧的一点是，我竟然无法让这些理想化的年轻人信服我这个说法。他们真心相信他们可以仅凭泼洒爱心，就能赢得那些谁都看不顺眼的反叛者的尊重。我对那些新老师深表同情，不用多久，他们就会发现市区中学的热带丛林，既孤单又害怕。他们所付出的爱心必将被抛掷回来，落在他们吃惊不已的脸上。除非一个老师首先赢得了学生的敬意，否则学生们对他所付出的爱总是嗤之以鼻的。

由此观之，我的结论对读者而言肯定是预料之中的：我相信课堂如同家庭，权威有其不容置疑的价值。若缺少权威，就会老师怕校长，校长怕督学，督学怕校理事会，校理事会怕家长，家长会怕学生。接下来，信不信由你，学生简直是天不怕、地不怕了。

如何培养有个性的孩子

第十章
躁动的青春

孩子在青少年时期的叛逆从另一方面来说也是
有好处的，因为经过这样的冲突之后，他们便可
以从依赖父母的小孩变成一个成熟的大人。

一般说来，生命中最难捱的24个月要算是13岁以后、未满15岁的两年了。

　　啊！终于抵达青春的门槛了。青少年时期是生命中最生气勃勃、多彩多姿的一段时间。青春痘长出来了，胡子隐隐可现。在这段萌动的岁月里，女孩子开始试着化妆，男孩子也开始学着吹牛了。

　　我觉得，这是整个童年最令人兴奋的一段时光，当然我可不想再来一次了，我相信读者和我的想法也是一样。我们成人都还能清楚地记得，那些惧怕、嘲笑和眼泪……这些仿佛就发生在昨天。也许这正是每个父母，在自己的孩子即将进入青春期时，终日忧心忡忡的原因。

　　要是你以为我对满心苦恼的父母们所面临的每个问题都有答案的话，那就错了。我自觉所知有限，更明白写一篇青少年的文章，比在现实生活中与他们相处要容易得多。每当我受到虚荣心的诱惑，以青少年或其他问题的专家权威自居时，我就会想起鲸鱼母亲告诉小鲸鱼的话："当你跃到空中，开始'喷水'时，那就是你挨着鱼叉的时候。"因为这个寓言的警告，我只能谦虚地说，让我提出一些建议，它们也许对帮助那些自行其是的青少年会有些微的作用。

对尊重和尊严的渴望

　　青少年初期是每个人生命里特别痛苦的一段时光，最突出的就是生理和情绪上的急剧变化。一个初中男孩的事例可以最好地表达这种青少年初期遭遇的困难。当他被要求在众多的父母面前背诵林肯的一段著名演讲时，这位神经过分紧张的年轻人突然之间搞混了，他喃喃地背道："给我胡子，要不让我死！"他的宣言听上去并不是那么滑稽可笑。许多十几岁的少年确实相信他们的"男性气概"比生命还可贵。

生命中最难过的24个月就是13岁到15岁之间的两年了。此时，在巨大的社会压力中，少年们的自我怀疑和自卑感将达到前所未有的高峰。一个青少年的自我价值感完全建立在同伴对他的接受程度之上，摇摆不定，难以捉摸。这也是人人都知道的。即便是极轻微的拒绝和嘲讽，对那些自认是傻瓜和失败者的青少年来说，就好像世界末日来临一般。

成人也许不明白，在青少年们的心目中，在校车上没人与他同坐、未收到参加重要舞会的邀请，被自己的"一伙"讥笑，一早醒来发现额前长出7颗亮闪闪的青春痘，被心爱的女孩拒绝，这些都是比天塌下来还大的事情。有些男孩和女孩在青少年期中，常常遇到这类"社交灾难"，由此带来的心理创伤也许一生都难以忘记。

在西方文化中，青少年的自信心和尊严感还常常受到他们本身处于"年幼"地位的困扰。所有那些被高度宣扬的成人的特权和恶习都威吓着、压迫着他们。因为他们还"太年轻"，青少年不能驾车、结婚、入伍，不能抽烟、喝酒、工作、离家。当他们性欲萌动的时候，却得不到满足。他们惟一被允许做的，似乎就只是待在学校，整天阅读那些令人昏昏欲睡的课本。当然，上面的说法有些夸张，不过在一个感觉被社会拒绝和蔑视的男孩或女孩眼里，事实就是如此。当今青少年的愤怒情绪，主要就产生于他们感觉中的"不公平"。

最具破坏性的时期

布朗菲布里纳（Urie Bronfenbrenner）博士是康奈尔大学著名的儿童发展权威，他认为，13至14岁的阶段，是人一生中最具破坏性的时期。他在1977年5月的《今日心理学》杂志上有一篇采访报道。在这篇文章中，布博士提到他去参加国会听证会时，有参议院向他提出一个问题：儿童成长过程中哪一阶段是最重要的？他心里知道参议员们希望他强调学龄前儿童教育和发展的重要性，这是流行的看法，认为最重要的学习阶段是6岁以前。但布博士认为这种说法无法证实。他觉得学龄前的阶段固然重要，然而综观孩子一生的发展，每个阶段都是一样重要的。他对听证会说，初中时期对一个人的心理健康是最关键的。这时期的自我怀疑经常造成人格发展的障碍，留下终生难愈的创伤。一个健康快乐的小孩进入初中之后，很可能不到两年时间就变成一个心灵伤痛、颓丧不已的青少年。

在这一点上，我非常同意布博士的看法。初中生相互之间是十分残忍的，他们欺负弱者时，就像一群北极狼撕咬吞噬一只可怜的水牛，其情形令人不忍目睹。每当我看到一个脆弱受伤的小孩竟然变得痛恨自己，鄙视自己的孱弱的身体，恨不得自己从未生到这个世界上来，我就忍不住涌出满腔的义愤。我决心要竭尽所能地来帮助这些极端渴望友谊的青少年来度过这个自我怀疑、自我鄙弃的阶段。

这不仅仅是因为我仍然记得自己那不堪回首的青少年时期，更因为从那以后，我利用大量机会从别人身上来观察这一痛苦困扰的经历。1960年到1963年间，我有幸在公立学校任教，其中有两年是在初中部。每天我得面对由200多名初中生组成的骚动不安的课堂，向他们讲授科学和数学。从他们身上，我所领悟到的远远超过我所付出的。就在这段短兵相接的"火线"上，我的管教观渐趋成熟，并慢慢摸索出一些行之有效的管教办法来。相反地，那些老祖母式的教育专家们所梦想出来的高超的理论，却在每天的战斗中，被炸得粉碎。

自信和自尊

我很早就清楚地知道一点——如果我以真正的尊重和敬意对待每个青少年，我便可以要求他们遵守我每一项严格的纪律。我在上课前和放学后、在午餐时间和课堂的讲授中赢得了他们的友谊。我很严厉，特别是遇到故意的挑战时，可我绝对不侮辱或羞辱对方。我保护弱小，尽力帮助他们建立自信和自尊。然而，我对学生的违抗态度和行为绝不妥协。在我的课堂上一律不准随便讲话、嚼口香糖、态度傲慢、咒骂或用圆珠笔戳人。我俨然是一船之长，凭着军队般的纪律和热情来指挥这条航船。

以爱心和严格的纪律交融的教学法，给我的教学生涯留下了一段最美妙的回忆。我爱我的学生们，他们也同样爱我。每当周末不用教学的时候，我甚至都会想念他们。到最后一学年结束之际，我收拾好自己的书籍和物品，挥别校园。有20多个泪眼汪汪的青少年围在我的办公室里不肯离去。最后当我在停车场上向他们作别时，他们终于哭出声来了。当然，我承认那天我也流了些眼泪。

有一位1963年站在校园停车场上对我哭泣告别的少女朱莉，她1975年又打电话给我。10年多未曾谋面，她长大成人了。我还记得她在高一那年，她的眼中满是忧郁之色，显示她的自信心非常低落。她看起来是对自己的拉丁血统和身材稍胖感到羞愧。很不幸，她只有一位朋友，而且第二年就搬走了。

我和朱莉在电话里很愉快地回忆到了那段高中时光，然后她突然问我："你去哪座教堂做礼拜?"

我告诉了她我去的教堂，她回答说："你不介意下个星期天我到教堂去见你吧?"

"你能光临，我会很高兴的!"我回答道。

下一个星期日，我和妻子在教堂见到了朱莉，我们坐在一起听完了布道。在接下来的几个月里，这位年轻女人竟成长为一位活跃的基督徒。她参加了唱诗班，很多会众都为她声音里散发出的充满感染力的光芒而赞叹。

后来有一次，我在走出教堂的路上问她："朱莉，我想问你一个问题。为什么你会费这么大的劲找到我的电话，在10年之后还想与我通电话呢?"

她想了一会儿，说道："因为在我高一时，你是惟一尊敬我、信任我的人……因此我想了解你信仰的上帝。"

这真是对我极高的评价了。如果你能以尊敬来对待在你四周压力重重、满心困惑的青少年，许多青少年的管教问题便会迎刃而解。毕竟，这也是对待任何年龄的人的最佳办法。

把冲突说出来

　　青少年时期通常与某种程度的缺乏理性联系在一起的，这是最令父母感到灰心和挫折的地方。让我举一个例子来说明这个问题。

　　几年前，有个学生从洛杉矶医学院毕业，到一家精神病院实习几星期。不过，他对精神病的本质缺乏认识，他觉得自己可以通过"讲道理"来帮助他的病人重返现实世界。其中有一个精神分裂症患者引起了他的特别兴趣，因为这个病人相信自己已经死了。

　　"对呀！一点也不错！"这位病人一见人就说，"我是死了。死了好多年了！"

　　这位医科实习生忍不住要跟这位病人"讲道理"，好把他从幻想中拉出来。因此，他坐到病人旁边说道："我知道你认为自己已经死了。真的吗？"

　　"当然是真的！门上的钉子都不会比我更像个死人了！"病人回答道。

　　实习生接着道："好吧！告诉我，死人会流血吗？"

　　病人显得非常有理性地回答道："当然不会！"

　　于是实习生拉起病人的手，把针刺进他的大拇指里。

　　随着血从伤口慢慢渗出时，那个病人不禁屏住了呼吸，然后像明白了什么似的大叫道："哇！你知道吗？死人原来会流血呢！"

　　读者肯定会发现，有时与那些不可理喻的青少年对话时，其情形也会像上面这个故事一样！这种对话通常发生在当你向他解释为什么他必须按时回家，或是为什么他应该保持房间的整洁，或是告诉他衷心崇拜的高年级女孩没有请他参加舞会，其实并没什么了不起的时候。在这些事情上，讲理是行不通的，不如利用一些他们心中在乎的各种情绪和社会压力来改变他们。

务必"保持沟通"

另一方面，我们绝不能仅因为父母和青少年之间很难相互沟通，就放弃在这方面的努力。在这骚动不安的几年中，我们必须时时"保持沟通"。尤其是对那些原来快乐活泼，而到了14岁就一夜之间变成一个尖酸刻薄、愤世嫉俗的蔑视权威者的小孩们，因为这种变化是青春期的普遍现象。

其实不仅父母对这种剧变感到沮丧，就是小孩自己也对此惶恐和焦虑。他被自己内心汹涌的敌意和厌恶之心弄得束手无策。显然他需要有爱心的父母，给予他无条件的爱心和谅解，向他解释这种躁动属于"正常现象"，并帮助他把积压在心中的紧张情绪化解掉。

不过，怎么做到这一点呢？这并不是一个容易回答的问题。对做父母的来说，再没有比与愤怒的青少年保持沟通的渠道，更需要智慧和技巧的了。一般父母最常犯的错误就是，他们与青少年陷入一个无休无止的舌战之中，不但筋疲力竭，而且一点实际价值也没有。显然有比互相吼叫更好的办法，来取得与青少年的沟通。

让我举个例来说明这一点。让我们设想莱恩今年14岁，正处于我们上面说的青少年的叛逆期。他不守规矩，横冲直撞，似乎对全家人都怀有敌意。当父母一管教他，他就大发脾气；而且就算在相安无事的时候，他也显得很厌烦在旁边的家人。上星期五晚上，他比规定的时间晚1个小时回家，却拒绝做出任何解释和道歉。此时他的父母应该如何处理这件事情呢？

饭桌上好谈话

假设你是莱恩的父亲，我建议你邀他星期六早上单独外出早餐，避开其他的家人。当然，这个建议最好是在双方都心平气和的时候提出。告诉他你有很重要的事情想单独与他谈谈，在家里很难说清楚。不过在星期六早晨之前，千万别去碰这个问题。等吃饭时再告诉他下面的话（内容可随对象修正）：

有些事情出问题了

莱恩，我今天早晨邀你出来谈话，是因为在你身上和我们家中有些事情出问题了。我们都知道，你在前几个星期很不开心，大部分时间你都气鼓鼓的，行为粗鲁，对大人的话也爱理不理。你知道，我和你都挺不好过。生气的时候，也说了些不该说的话，现在想起来很后悔！应该有更好的解决途径，这就是我找你吃饭的原因。

作为一个新的起步

莱恩，我希望你能明白摆在你前面的路。你已经长成一个大孩子，必须面临生命中的一个新阶段——青春期了。这也是告别孩童期走向成人的时候了。这几年通常是人一生中最困难和最容易起波澜的一段时期，然而也是每个人的必经之路。你现在面临的许多问题是生命中必须面对的，从你一出生在这个世界上就决定了的。因为成长并不是一件容易的事。尤其现代的小孩所受的压力比我们年轻的时候要大多了。我曾告诉过你：我们了解你的感受，我们也深爱你，完全像过去一样。即便在过去几个月中我们彼此相处十分困难，可我们对你的感情是不变的。

自由的滋味

到底怎么回事情呢？你瞧！因为你已经尝到自由的滋味了。你厌倦了再当个小男孩，让别人告诉你穿什么、吃什么和什么时间上床。这是你长大的过程中必然会产生的正当态度，我们也能理解。可是你现在就想当自己的老板，做自己的决定，不要别人插手管你的事。莱恩，要不了多长的时间，你就会得到这种自由的。你已经14岁了，马上就会长到15岁、17岁、19岁，眨眼之间就成大人了。你很快就能自己为自己负责，到那时，我们对你的责任也就了了。你很快就可以与你自己所选择的对象结婚，到自己挑选的学校上学，并选择适合自己的职业。到那时你的母亲和我，自会放手让你自行决定。而且离那一天越近，我们也会给你更多的自由。今年你能自己决定的事情是不是已经比去年多了好多？这种趋势还会继续下去的。到我们完全放手的那天，你就只需对自己负责了。

自由与责任

不过，莱恩！你必须明白一点：现在还没到那个时候，你还没有真正长大。过去几个星期，你盼望我和你的母亲让你爱做什么就做什么——任凭你在外一直待到深夜，任你成绩糟糕、对家务事不闻不问。而且我们一拒绝你的无理要求，你就大发脾气。你所要求的其实是，你要我们在你14岁时就给你21岁才能得到的权利和自由。可你一边又盼望有人替你烫衬衫、做饭、付账单。你要拥有21岁的自由和14岁的照顾，却一点责任也不想负，这是不对的。我和你母亲该怎么办呢？最简单的方法就是不管你！这样就不会有任何争执、冲突和不愉快的事发生了。许多小孩的父母就是这样子。但是我们绝对不愿意这样做，你还不能完全独立，我们若真这样对你的话，那简直就是害你，而不是爱你了。不但我们会遗憾终生，而且不用多久你就会怪我们。你也知道，你两个妹妹也在看你的样子照学，这是我们必须要阻止的。

父母的责任

而且，莱恩！我们做父母的一项责任就是教导你走正路，如果我们允许你去做那些伤害你自己和别人的事，那么，我们做父母的就是失职。

可以直说无妨

现在的问题出现了，我和你从现在开始到底该怎么做？我想和你约定，从现在起，你母亲和我会更加注意你的感受和要求。我们本身并不完美，不可能一点疏忽也没有，你也是知道这一点的。你可能常常会觉得我们处理事情不公平。如果你真有这样的情形发生，你可以把话直说出来，我们保证会认真考虑。我希望我们永远都能敞开交流。每当你要求新的权利时，我会问问自己："如果我答应了，是否对莱恩和其他人不会造成伤害?"如果我可以放心让你去做，我一定会答应你。我保证我们会尽可能地给你自由。

必要的坚持

不过莱恩! 有些事情是绝对不能通融的。有些情况下，我的回答肯定是"不行!"出现这种情形时，我会毫不妥协的。这时，我不准你发脾气、摔门、打人、拂袖而去，那些都无济于事。事实上，如果你想在这些事情上反抗我，那会有你好受的。不错，你已经长大了，打你并不好看，但我总有可以治你的，信不信由你。在你还住在家里的最后几年，我有勇气也有决心尽到我的责任，如果必要，我会把一切的手段都用到，因此就看你了。我们可以在家中有最后一段和平安宁、彼此合作的时光，要么你这几年就会在不时的不愉快和争斗中度过。不管你选择哪一种，你都必须在规定的时间回家，必须分担家务，也必须尊重你的母亲，尊重我。

永远是好朋友

最后，我想再说一次，我们对你的爱远远超出你的想像。在这段非常困难的时期里，我们将仍旧是好朋友。现今的世界到处都是痛苦和伤痕，生命中满是绝望、失落、拒绝和生老病死。也许你现在还没经历过这些伤心的事，但马上你就知道生活的苦痛了。所以别再把那些令彼此伤神的事带回家里来好吗？我们全家是互相依赖的，我们需要你，而且你相信吗？你也许更需要我们。我想我要说的话到这里为止了，让我们彼此相勉相励吧！

你是否还有话要说呢？

至少要把话讲开

上述这段话可以视情况的不同而做适当修改。而且，小孩的反应也会因人而异。一个个性开朗的小孩会在这段谈话后，把心里的话都说出来，父母和孩子之间可以又多了一段宝贵的敞开心扉的时光。可要遇上一个个性倔强、叛逆性极强、性格骄傲的青少年，他也许低着头一声不响。无论怎么说，即便你的孩子不肯屈服，至少你把话讲开了。归根结底，我们仍须与那些倔强叛逆的青少年生活在一起，所以把话讲出来总比不讲要好。

运用行为后果来阻止行为的发生

孩子在青少年时期的叛逆从另一方面来说也是有好处的，因为经过这样的冲突之后，他们可以从依赖父母的小孩变成一个成熟的大人。

在青少年时期，父母最常犯的一个错误就是，与孩子陷入无休止的舌战中，不仅自己累得声嘶力竭，而且一点实际效果也没有。我想特别强调——不要陷入这种冲动之中，别与小孩争执。不要动不动就对他进行警告、威胁、指责和数落。最重要的，不要唠叨不休。青少年最烦爸爸妈妈唠唠叨叨，在他们耳边说个不停。碰上这种情况，他们最常采取的反应就是装聋作哑保护自己。要让两代之间就此无话可说，最好的方法就是屋前屋后追着孩子，唠叨不停地重复着千篇一律的责备。当然，我劝做父母的最好别试。

别顶嘴

20世纪在50年代有一首颇受欢迎的摇滚乐，它把青少年同他们唠叨不止的父母之间的困扰很传神地表现出来了。歌名是《别顶嘴!》（Yaketv Yak）：

把纸屑和垃圾扔出去，
不然就别指望有零用钱；
不把厨房地板清洗干净，
让你听不成摇滚乐，
别顶嘴！

赶快清扫房间，
挥动扫帚让灰尘飞起来；
把所有的脏东西一扫而尽，
否则周末你只能待在家里，
别顶嘴！

穿上你的外套，
戴上你的帽子，
自己把脏衣服送到洗衣店去，

洗完了，把狗带进屋，
把猫赶到房屋外面去，
别顶嘴！

别用那种眼神瞪我，
不然小心你的屁股，
快去告诉你那帮等在外面的小阿飞，
你没空去兜风，
别顶嘴，别顶嘴，别顶嘴！

　　如果父母要求青少年"别顶嘴！"不是最好的办法，那么对他们的懒散、不合作、公然违抗和不负责任采取什么样的行动才适当呢？在莱恩的事例中，做父亲的宣称，如果他再不合作，就会要他"好看"。然而可别走漏了消息，其实父亲能够派上用场的"家伙"实在是有限得很。责打一个10多岁的青少年，无论如何都不是明智和有效的举动。

　　当真的需要管教他们一番时，父母只能操纵一些环境因素。比如父母掌握着汽车钥匙，可以决定借或不借给儿女（或为儿女充当司机）；他们可以答应或剥夺孩子参加一些活动的权利，比方去海滩玩、或去爬山、或到朋友家玩、或参加宴会；他们掌管家庭的财源，可以对他们需要零花钱的孩子选择借或不借、给或不给；他们可以"软禁"孩子，不准他们打电话或看电视。

　　不过很显然，这些方法都不是特别有效的"诱因"。如果两代之间发生严重冲突时，这些方法根本不管用。当我们以理性、合作和对家庭的忠诚来要求孩子都不见效时，其余的

"惩罚"方式的效果软弱而于事无补。我们只能向孩子讲清楚，他们行为将带来好的和坏的结果，希望这种行为和结果的联系能诱使他们和我们合作。

避免冲突

如果你还不太理解上面这段话的意思，让我再进一步说明一下：当父母与一个性格倔强、满心愤怒的16岁的青少年发生冲突的时候，孩子很可能是赢家。最坏的是，法律甚至都站在他们那一边。他可以离家出走，他可以喝酒、吸大麻或为非作歹，却仍然可以因为年龄不足而逍遥法外。在许多州，他的女朋友可以吃避孕丸，避孕不成功，她还可以到医院去偷偷堕胎，没有人会知道。当一个满心渴望独立的青少年决心为此而战斗时，成人世界很可能是对他无能为力的。

现在时代不同了。在以前的农业时代，每一家人隔着8到10英里的距离，父亲对自己所拥有的权威，感到无上的光荣。他可以与他倔强的儿子"讲道理"，完全不必担心外界的压力。父子俩坐在山坡上，望着四周一望无际的田野，在这样的环境下达成两代之间的协议当然会容易得多。

但在今天，现代青少年们一点点不满的火苗，却能燃烧起一大片熊熊的火焰。如何掏光青少年口袋里的零用钱，如今成了一门大生意——充满诱惑的杂志、唱片公司、收音机、电视机和音乐会，都在为迎合青少年们反复无常的冲动。于是许多高中生一放学，便成群结伙在市中心晃荡，流连在那些向他们殷勤招手的商店门口，成为一股我们必须正视的不羁力量。

就在上星期，有2500名青少年挤到我邻居家里开舞会，把空啤酒罐和碎玻璃丢得满街都是。有人质问警察局长为什么不对此采取行动？他说道："我们能做什么？用24个警察对付2500个青少年?！每抓一个学生，就得有两个警察护送到局里去。我们这点人根本就不可能控制这一大帮乌合之众。要采取行动，还得有特别的人证，众青少年当然视我们为敌人，而且会帮助肇事者反抗。总之一句话，这是不可能完成的任务!"

如果警察也对现在青少年感到束手无策，那父母亲们的情况就更复杂、更微妙了。除非他们的儿子和女儿有很强的合作意识或责任感，否则场面很可能会变得火爆血腥。那么，青少年对外界环境的抗拒能力是从哪里来的呢?

我认为从孩童幼年起，培养两代之间的互尊互重是极为重要的，这本书，事实上就是要帮助父母亲与个性倔强的孩子，早日建立起一种有爱心和有分量的关系，以便帮助孩子成长为一个心智健全的青少年。没有这种早年打下的坚实基础，孩子没有对父母基本的敬畏之心，那么在两代冲突中胜利的天平肯定会向这些"青年战士"们倾斜。如果我不把这一点挑明，那就是对读者不负责任。

父母之爱

然而，即使我们未能在孩子早年时打下一个牢固的根基，父母仍应竭尽所能来帮助他们的青少年子女。我们必须使他们避免犯下终身后悔的恨事，包括吸毒、早婚的悲剧、怀孕、辍学和酗酒等等。有时候，做父母的必须采取坚决果断措施来防范这些威胁。

我的父母就有过这种经验——在我16岁那一年，我开始尝试些"游戏"了，这使我的父母非常担心。当然我还没有走到全面反叛的地步，但确实有滑向那个方向的趋势。我父亲是个牧师，经常外出讲道。可是当我母亲把我的所作所为告诉他之后，他把接下来三年的讲道安排全部取消了，接受了一个教会牧师的职位，为的是他可以在我剩余的两年高中时间里留在家陪我。他卖了房子，举家搬到700英里外的地方，好让我有一个新环境和新的朋友，让我可以钓鱼和打猎。当时我并不明白这一切都是因为我的缘故。然而如今回想起来，我实在感激父母对我的挚爱，他们不惜牺牲了自己的房子、职业、朋友和个人的爱好，只为了我的健康成长。

当然，事情到这儿还没算完。作为一个高一的学生，我在新中学里很难交上什么朋友，我觉得非常孤独。在这个拒绝承认我加入的陌生小镇里，我完全像一个局外人。我母亲觉察到我孤独失落的感受，她又以她典型的母亲方式来"关照"我。在我们搬到新家两周后的一天，她拉着我的手，把一张钞票塞进我掌心里。她看着我的眼睛，对我说道："这个给你，别告诉其他人。你自己拿着，买你想买的任何东西都可以。这钱虽然不多，可我希望用它买点对你有帮助的东西。"

我慢慢摊开掌心，那是一张20美元的钞票。因为当时搬家花了不少钱，而父亲的新工作收入也很低，这点钱对于我父母来说是很不容易的。可不管怎么，在那些动荡不安的日子里，他们始终把我的需要放在头一位。我和母亲都知道，这点钱买不来新朋友，也不可能让我的孤独生活发生什么根本的变化。但是，母亲却是在用这样的方式告诉我："我能体会你的感受，儿子。我知道你现在很困难，但你要明白一点，我就是你的朋友，我会帮助你的。"我希望每一个遭遇难关的青少年都能够有我这样的幸运，拥有不放弃为他祷告，在困难时推他前行，愿意了解他的感受的父母。

总之，我建议父母们采取一切可行的办法来帮助他们的青少年子女，但绝不要唠叨、咆哮、哭泣和大声叫骂。父母的"愤怒"是无法驱使十几岁的青少年的。有一个很愚蠢的事例，一位高中校长在停车场对着开车飞驰而过的学生声嘶力竭地大叫大骂，可一点作用也没有。要一劳永逸地解决超速的问题，他完全可以在停车场里设一些路障。因此，管教青少年的最佳之道，在于成功地运用行为后果来左右他们的行为。再加上父母的爱心，以理性、合作和相互商谈的方式来使他们步入正道。

青少年时期的心理准备

我认为青少年时期的心理准备十分重要。父母们都知道孩子在青少年时期受到极大的压力，心理情绪非常紧张。可我们常常未能帮助他们、拥抱他们，与他们一起面对社会压力和生理的变化。反而任他们一头扎进这个很险峻的阶段，就像手提篮子一路舞着跳着的小红帽，一口被野狼吃到肚子里去才知道自己走在危险的道路上。如果父母早些提醒过他们关于大野狼的事情，那小红帽是能够发现这位"外婆"竟长着长毛和短尾巴的。

因此父母们有责任帮助青少年避开现实生活中的"大野

狼"，免于被吞噬的悲惨结局。如果父母亲们青春期开始之时花一天的时间，与孩子一起讨论即将到来的青少年时期中会出现的种种事件和危险，对于把他们引向正道，将会有巨大的帮助。为了帮助父母完成这个任务，我录制了六盒《预备青春期》的录音带，是全美最畅销的录音带之一。为什么如此受欢迎呢？因为青少年时期是人生中最复杂而微妙的一个时期，很少人把它作为一个特别的主题并用通俗易懂的语言来讲授。下面我把这六盒全美最畅销的录音带的标题列下来，可供父母们作为与青少年谈话内容的参考。

1.摆脱自卑感，获取自信心——讨论青少年中极为普遍的自卑现象、青少年缺乏自信心的原因，以及如何建立自信心。

2.随波逐流，还是坚持做自己——讨论青少年时期来自同龄人、同伴的压力、小帮派的危险与诱惑，包括被唆使吸毒、酗酒等问题。

3.我的身体正在经历奇妙变化——讨论青少年期生理上的剧变。对身体外形、疾病、雀斑、青春痘的恐惧，还有性成熟的问题，包括对月经、遗精、手淫、乳房和生殖器官大小等等的讨论。这些讨论可以免去接下来几年中的痛苦和不必要的担忧。

4."我想我是坠入爱河了"——对10种非常普遍的"罗曼蒂克"的爱情观的澄清。许多成人可以看看这些讨论。

5.认识你的"情绪"——讨论另一些青少年时期常常经历的情感反应。

6.敞开心扉与青少年坦诚交谈——四位青少年聚集在我家中，回望他们的青春。对他们所经历的恐惧、尴尬和焦虑娓娓道来。

我不想让这一节看起来像是对我的录音带的广告。我推荐它们仅仅是因为青少年应该得到更多的关心。今后6到8年的生活顺利与否，很大程度上都系于他们跨进青春之门时得到的指导。不管用不用我的磁带，我都希望父母、老师、教会能付出足够的努力去抚平这些青春期的恐惧、疑虑和压力。总之，"心理准备"对青少年而言是十分重要的。

该放手时就放手

　　现在我们进到了本书的最后一个阶段，我们将讨论作为父母的最后责任。

　　一般16岁以上19岁以下的青少年的父母们，他们最常犯的错误就是，拒绝放手让小孩独立和长大，这本是孩子们需要的。父母们热爱孩子的天性常常使他们紧紧抓住小孩不放，忘记了他们对自由的渴望。父母们为他们凡事拿主意，将他们紧紧保护在自己温暖的羽翼下面，连一点点失败的滋味都不肯让他们尝。如此一来，父母们就把自己的孩子逼到了两种同样有害的模式中：他们或消极地接受父母的溺爱，变成永远长不大的"孩子"；或是一怒之下起而挣脱父母的枷锁，争取独立。然而无论是哪种状态，他们都会失去很多——前者变成心理上的残疾，无法独立思考；后者斩断了他们极需的亲情，心中愤恨不平，且受罪恶感的折磨。事实上，拒绝让他们的孩子独立的父母，不仅为他们的孩子，也为他们自己，招致了灾难。

　　让我把这一点更清楚地表达出来：在放手让自己孩子独立的问题上，美国的父母是全世界做得最差的父母。这在一本名为《1965年的毕业生到哪里去了？》（What Really Happened to the Class of '65）的畅销书中，得到了最好的证明。

这本书以《时代杂志》（Times）的一篇报道作为开始。该杂志在60年代中期，选择了南加州的帕利沙地斯（Palisades）高中的高班学生作为观察对象，写了一篇专题报道——《今日青少年》。这些高三毕业生的家庭条件和受教育的条件是当时全美最好的。他们在最富裕的校区中就读；他们所在家庭的收入平均达4.2万美元（记住是1965年，以现在来说相当于年薪至少10万美元）。他们的父母有许多是当时的著名人物，而他们自己也是当时最漂亮、最健康、最富裕和受教育最好的一群高中生，他们也以此为荣。很自然地，《时代杂志》预言他们将"前程似锦"。随着他们离开高中走向大学，他们的未来就像清晨的太阳升起在夏日的地平线上。

然而结果如何呢？我们都想知道这群金光闪闪的高三学生现在到底如何。两位当年的毕业生麦可·米微德和大卫·瓦利契斯基（Michael Medued and David Wallechinsky）在10年之后，做了个调查来回答这个问题，结果十分有趣，虽然只是粗略的追踪而已。调查对象集中于那些在美国高中里大受欢迎的一类人，包括活力充沛的啦啦队队长、头脑冷静的橄榄球四分位、犹太裔的小书呆子、游手好闲的聪明鬼、白马王子、乱抛媚眼的美女、智商极高却不爱学习的家伙和狂野女孩（与上百个男生做爱）。一个接一个的，他们个人的生活和历史展现在了我们眼前。

失落的一群

调查的结果十分令人吃惊，这批1965年的高中毕业生非但未能"前程似锦"，相反地却是倍受个人生活悲剧和情感躁动的折磨。事实上，1965年毕业的美国高中生是历史上最不稳定、最"失落"的一群。当他们才领到毕业证书几星期，那个漫长夏天里的种族骚乱便使得各个城市火光冲天。这才预示着混乱生活的开始。当他们迈进大学时，吸毒不仅流行，而且可以说是充斥于学生和老师中的普遍现象。知识分子的堕落在这种麻醉的氛围中无可避免。不久越南战争便如火如荼地展开，煽起了反战之声，他们对政府、总统、军事和政党愤怒，乃至对美国生活方式本身不满。这种敌意最终发展为炸弹袭击、暴乱和焚烧政府机构。这代人在还不满16岁时，就目睹了他们崇拜的偶像约翰·肯尼迪惨遭枪杀。接着他们又失去了他们所爱慕的英雄——罗伯·肯尼迪和马丁·路德·金（Martin Luther King），接下来是肯特州立大学的枪杀学生事件和街垒战斗……一直到尼克松总统出兵柬埔寨，造成校园风潮，几乎让全美的大学陷入关闭的状态。

与这些社会骚动伴随的，还有道德和伦理标准的解体。一夜之间，传统荡然无存。不再有绝对的真理和标准，也不再有是非和方向，没有一个超过30岁的人值得信任。有些两眼发光的神学家趁着这片混乱大声宣布：上帝已死。这是年轻人深感绝望的时代，自我价值和地位渺不可寻。

这正是1965年高中毕业生的真实下场，他们的个人生活也折射出当时社会的骚动不安。一个个年轻人饱尝社会的冷暖和黑暗。他们吸食海洛因、迷幻药、镇定剂，无节制地酗酒；他们婚姻破裂，性生活混乱不堪，实验形形色色的生活方式；他们制造出不被需要的小孩，这些可怜的孩子根本不可能被正常地养育大。这个高中班中11%的人曾坐过牢，一个人在1971年试图自杀（他是当时全班最受欢迎的白马王子），18个进医院接受过心理治疗。帕利沙地斯中学的一位前教师对1965~1975年这10年总结说："这是本世纪最悲哀的年代。"对此我深有同感。

然而，这一群青少年的问题并非仅仅是外在的社会力量所引起的，还有一个重要的原因就是1965年高中毕生的父母们拒绝让他们长大。虽然老一代在这群高中生毕业之后能给他们的影响极小，但他们却不能真正地放开自己的孩子。这本书中提到，父母们一而再、再而三地保释他们的小孩出狱，替他们偿清债务，使他们不用工作，且一直鼓励他们留在家中同住，使他们衣食无缺。以下举出书中的一些例子，让过度溺爱孩子和担当过多责任的父母亲引为借鉴：

1.在我们采访的最后，莉莎的母亲走进屋子，拿来她为25岁的女儿采购的一篮蔬菜。尽管莉莎极端反对传统，但她却一直依赖她的父母。莉莎知道她的父母总会保释她出狱，在她绝望时保护她安慰她，支持她的兴趣爱好和滋长她的野心。她的反叛并没有使她真正得到独立。她说："我的母亲在经济上很帮助我，我父母欣赏我，我是个艺术家，我上班从来不会超过三个月。"

2."事实上我认为，我的许多问题都与我在帕利沙地斯这样的富裕环境里长大有关。如果我不是在过分受保护的环境里长大，现在我会好很多。我的先生尼尔出身中产阶级，他们到十七八岁时就自觉是个大人，可以自己做主了。可我呢？

永远只是一个从来不惹事、不犯错的'乖女孩'罢了。因此当我一开始可以作主时……我简直疯了。"

3. "我不喜欢上学，我的父母给我1400美元，我爱怎么用就怎么用。有六个月时间我都没去上学，我做的绝大部分事情就只是……花钱。这是我一生中最自由、最过瘾、最好玩的阶段！最后的结果是，我每一科都不及格。"

4. "我可以依靠我的父母们源源不绝地供应我钱财，我讨厌规规矩矩的工作，在某个时间到某个地方准时上班。我才受不了呢！"

5. "有六个月的时间我一直在吸毒，太酷了。我没有撞车，没有摔下楼梯，没有被偷。可最后我终于倒霉了。我把父亲的'庞蒂亚克'撞得稀烂，这辆漂亮的车。没人在事故中受伤。我记得车子翻了，我还记得自己站在街上，一个警察问我是否服用了大麻。我记得自己口袋里有大麻，我偷偷把它扔了。他们把我在一个小房间里关了一晚上。我父亲来了，他显得又惊又怕。他隔着铁栏告诉我，我还得待在这里。这对我真是沉重的打击，因为他们以前一直都会搭救我的。"

从错误中学习

这一班级中的一位学生杰米·克尔梭（Jamie Kelso）对他永远长不大的同学们，有着一针见血的总结：

"1965年的帕利沙地斯高中毕业生成为父母和纳税人的寄生虫的原因有两个：1.他们的父母替他们担当一切问题，使他们没机会理解现实生存的艰难。等18岁时，一个人的性格就大致成型了。如果此时父母还是有求必应，供给孩子汽车、学费、零用钱、度假、豪华衣服、公寓等一切衣食住行娱乐的所需所用，就不怪乎这些孩子长大后，一个个会变成没有道德意识的家伙了；2.在高中时，学校的教育与现实脱节。高中时缺少哲学的根基，以无理性为引导，等到他们一进大学之门，就上了狡猾之辈的当，成了当时一些宗教骗子的猎物。"

克尔梭确实是一个很有洞察力的年轻人。他察觉到了父母亲放手让孩子独立的必要性——让他们从小开始就能够从错误中学习人生的功课。这一点非常重要，因为说到底，整个童年其实都是在为成人后的独立生活做准备。聪明的父母应该知道，孩子长大很快，有一天他就会拎起手提箱离开家，一去不返了。一旦他面对的是外部世界，他便不再是对父母的权威和监督负责。他可以做自己选择去做的事情。没人再要求他好好吃饭，及时休息，找一份工作，活得有责任感……。他要好要坏都是自己的选择。对那些缺乏准备的年轻人来说，这种突然而来的独立会让他无所适从。父母若不及早训练他，让他知道要如何做决定，到时他很可能全然瘫痪。

那么父母应该如何训练小孩独立呢？应该在小孩蹒跚学步时就开始着手了。然而父母总是舍不得，仁肖博士写道："也许让小孩自己吃饭会弄得脏乱不堪；让他自己穿衣服会花很长时间；让他自己洗澡不一定能洗干净；自己梳头不怎么好看。然而，除非做母亲的学会坐下来，让她的小孩自己尝试和哭泣，否则小孩就永远学不会独立。"

这种独立的训练应该在整个小学阶段坚持不懈：父母亲应该允许小孩参加夏令营，虽然让他们待在家里似乎比较

"安全"一些。在这个阶段，可以让小孩到朋友家里去过夜、让他们学会自己铺床、自己做功课、自己清扫房间。简言之，父母应该一年年地交给他们更多的自由和责任。

如果"移交"的工作合理的话，等到小孩上高中时，即便他们仍跟父母住在一起，应该就要自己负全责了。下面是我在父母家最后一年的实例。

当我17岁时，父母留下我独自在家出去旅行了两个星期，以检测我的独立能力。他们把汽车借给我，允许我邀请朋友到家里过夜。当时我对他们的"冒险"举动感到很是不理解。他们一走，我可能连开14个晚上的狂舞派对，撞坏汽车，损毁房子。事实上，我自己也怀疑，他们给我这么大的自由度是否明智。不过我倒表现得很负责任。

当我长大成家以后，我曾经问母亲，为什么他们甘冒那些风险？她微笑着答道："因为我很清楚，总有一天你会离家去上大学。那时没人再会告诉你怎么做，你将是完全自由的。我希望在我们还能影响你的时候，就让你体验一下那种自由。"母亲发自直觉的智慧令人惊叹。她是在为对我完全放手做准备呀！这种时候常常会使那些过分受父母保护的年轻人做出许多错事来。

总之，父母该放手时绝对要放手，我承认这一点很难。我们深爱自己的孩子，总想替他们承担一切。生命中有许多无可避免的痛苦和悲伤，当他们受到伤害时，父母真是心疼不已；当别人嘲笑他们时，当他们觉得寂寞和受人拒绝时，当他们在自己在乎的事情上失败时，当他们深夜哭泣时，当他们的身体可能受到伤害时，要父母袖手旁观简直是不可能的。我们多想把他们握在手上或抱在怀里。

然而很多时候我们必须让他们自己挣扎奋斗，若不许他们冒险，他们永远不会长大。小时候若没有摔过跤，他们就学不会走路；读书时若没经历艰辛，就学不到知识；最终，不把年轻人从我们的羽翼下放开，他们就永远长不成大人。可据我观察，西方的父母们总是不愿把他们的子女放开，让他们去面对和克服日常生活的挑战。正如克尔梭对1965年的毕业生所说的："父母们总是替孩子担当一切问题，使他们没机会了解现实生存的艰难。"而且，这些父母们也没能为孩子打下道德和精神的根基——生存的意义。

青少年时期的三阶段

我建议父母在孩子青少年时期应该分三个阶段来放开我们的孩子：

第一阶段是"放松控制"。它意味着父母在青少年时期的初期虽然还是小心翼翼地监视着孩子行为的结果，可是已经开始放松控制。我们该为他们祷告、爱他们，给予他们忠告，但是做决定的重担此时应该传递到下一代手上，并且要他们承担自己的决定和行为的后果。

第二个阶段是"在控制下的自由"。这七个字可以说是我全书的主题了。父母必须深深地参与到孩子的生活里，给他们爱、保护和权威。然而一等他们长到十八九岁时，应该让他们到外面世界去看看。这是父母们最为害怕的时候。"他真的能行吗？我已经把他训练得够好吗？"这是每个父母都不敢回答的问题，因此他们总是倾向于推迟揭晓这个问题的时间。然而事实的情形往往是，如果我们的孩子不用反抗我们过分的控制就能获得独立,他们往往能做出正确的选择。

第三个阶段可以用所罗门王的一句话来说明:"教你所爱的得到自由。若他去而复返,他是属于你;若他去而不返,他原就不属你所有。"这句短短的话里藏着大智慧。这使我想起了去年发生的一件事情,当时一头迷路的小野狼游荡在我屋子的附近,它是从附近的山区误闯到这个居民区的。我费了好大劲把它赶进后院,在屋角捉住了它。经过15分钟的搏斗,我终于将一个项圈套上了它的脖子。它用尽全身力气想挣脱束缚,又跳、又扯、又咬。等到精疲力尽时,它终于顺服了。它是我的俘虏,邻居的孩子们也都非常喜欢它。我把这小家伙拴了一整天,考虑把它作为宠物来饲养。为此,我请教了一位研究野狼的专家,他告诉我驯化这小野狼的机会微乎其微。当然,我可以把它一直拴起来或关在笼子里,可它仍然不会真正属于我。经过这番考虑,我最后托一位护林员把它带到洛杉矶旁边的大峡谷放生了,那里才是真正属于它的地方。你瞧,小野狼的"顺服"对我毫无意义,除非我能放它自由。

我的意思是自由与爱不可分,人和动物是这样,在人与人的关系上更是如此。举例来说,夫妻之间要让爱溜走最快的方法就是,一方用笼子把另外一方圈住。许多女人要求先生的爱和忠诚,然而她们都失败了。你想想,若有一方开始担心失去另外一方,每天打电话查勤七八次,悄悄跟踪监视,不出多久注定要毁掉这段本来很浪漫、很美好的关系的。再说一次:自由与爱是不可分割的。

把这样的观念运用到父母和他们青少年子女的关系上,许多问题就可以迎刃而解了。到孩子们20出头的时候,我们做父母的责任便已完成，对他们的训练也应该终了，是到放他们自己去飞的时刻了。就像我对小野狼一样，父母们也该在这时解下子女身上的"项圈"。如果我们的孩子走了，他就是走了；如果他娶错了老婆，他就是娶错了。他吸上了毒，他进错了学校，他抛弃了信仰，他不工作，他酗上了酒，他染上了性病，这些都是他自己选择的结果。然而，父母不该再把替他们付账单、收拾烂摊子、支持他们的愚蠢行为当成自己的义务。

我们可以从耶稣所讲的"浪子的故事"里得到很重要的教训。浪子离开家，用光了身上的钱，又饥饿又绝望。这时连猪食在他看来都是香喷喷的。当然，"没人给他任何食物"。没有食品券，没有福利局寄来的支票，没有失业保障计划，他只能眼睁睁地挨饿。正是在这种一无所有的情形下，他"明白了道理，恢复了理智"。匮乏可以使我们回到自己的根基，就像它把浪子带回到父亲身边一样。我们做父母的应该向这个故事里那位有智慧、有爱心的父亲学习，这位父亲就像是上帝本人的化身。一开始，他给儿子毫无牵绊的自由；然后，他任儿子品尝自己的愚蠢行为酿成的苦果；最后，他张开双臂热情欢迎返家的浪子，没有侮辱和责骂，只是高兴地说："他又失而复得了！"

总之，青少年时期对父母和孩子来说，都是极困难的一段时间。事实上，也是十分可怕的一段经历。安然度过这段暴风雨的秘诀在于及早打下两代之间亲密合理的关系，以勇气来面对它。并且，孩子在这段时期的叛逆也是有益的。因为经过了这样的冲突之后，他们可以从依赖父母的小孩变成一个成熟的大人，与父母比肩而立。

 **问题解答**

问：我有个14岁的女儿，她想与一位17岁的高中生约会。我不想让她去，可我又找不到合适的处理这件事情的办法。我该怎么对她说呢？

答：千万不要跺脚大叫："不行！和那个该死的高中生！你想都别想。"我的建议是你和女儿坐下来谈谈，为她今后几年的行为（与男生约会）做一个合理的规划。你可以说："女儿，你现在已经14岁了，我能理解你和男生交往的愿望。这是很正常的。不过，对于一个高年级男生可能带给你的身心的压力，我想你还没准备好怎么合适地应付它。"（如果她问这种"压力"意味着什么，你可以详细向她解释。）

"我和你父亲希望你准备好如何面对未来和男孩约会的事情，不过你得一步步来。首先，在和一个男孩发展成'恋人'之前，你先得学会怎么跟他们做'朋友'。要做到这一点，你必须先和自己这个年龄的一帮男孩女孩玩，跟他们熟悉起来。我们可以邀请他们来我们家玩，你也可以去他们的家。等到你十五六岁的时候，你可以在大人指定的地方和一个男孩约会。最后，到你17岁之后，你就可以自由地与人约会了。

"我和你父亲也希望有男孩子约你，希望你跟他们相处愉快，在这方面我们会很开明的。可是目前，你还太小。突然之间和一个高中生约会，对你来说太仓促了。我们会另外找一些办法来满足你与人交际的需要的。"

问：对于目前中学里普遍存在的缺乏纪律和管教的状态，我们都很忧心。对于在公共教育领域重新树立适当的权威，你有什么好建议吗？

答：对在学校加强管教的问题，我准备专门再写一本书来提供一些切实可行的办法。在这里我惟一想说的是，黑人民权运动家杰西·杰克逊在这一问题上比很多研究者都有洞见，特别是涉及城里"贫民区"中学的管理问题。下面我将摘录评论他观点的一段文章。

"暴力和破坏充斥于这个国家的公共中学，像传染病一样蔓延。"一篇发表在《美国新闻报道》上的文章如是写道，"而且没人知道怎么制止这种情况。"

真的没人知道吗？这些日子，芝加哥黑人民权运动领袖杰西·杰克逊对此问题提出了许多看法和建议。

他说了什么呢？在最近的一次演讲中，他讲述了自己参观洛杉矶高中的经历。在那里，他看见学生们"吸过大麻的眼睛红红的，头脑晕沉，摇摇晃晃地走在校园里。毫无廉耻，没有丝毫约束。他们是否吸食大麻根本不再成其为问题，惟一的问题是，他们到底在哪里吸的"。

当学校校长告诉他学生们是多么优秀时，杰克逊愤然打断了她的话，说道："我告诉她，她的学生们全是些小暴徒。他们根本就不优秀，但他们能够变得优秀。我们必须努力改变他们。我们的工作是让沙漠里长出鲜花。"

杰克逊因此呼吁人们进行根本的变革，建立牢固的秩序。他相信，每天早晨7点到9点、晚上8点到10点应该成为全国性的读书学习时间，"没有收音机和电视的干扰"。

家长们应该去学校要求查阅孩子们的成绩和品行报告单，如果被校方拒绝，家长理事会应该介入，并施加一些影响。

他呼吁在中学里禁止穿奇装异服：超短裙、露体装和厚底靴。"我深深相信，"他说道，"如果我们现在开始教导学生纪律、责任和自尊的观念，我们可以培养出好一些的青年。"

对于那种认为学校考试是专门设计来"陷害和反对"黑人的说法，杰克逊进行了有理有据的驳斥。"我们可以学会读书写字，"他说，"我们落后是因为两个原因，要么我们被剥夺了学习的权利，要么我们自己没有努力。我们在自己努力的领域都做得很好——舞蹈、谈话、摇滚乐。我们并非低能得学不会读书写字，我们也不是高超得不用学就能读书写字。"

他呼吁建立新的价值观，"我们该凭着一个人救人的能力来尊敬他，而不是根据他杀人的能力。一个男人仅仅能制造小孩，他还不是真正的男人。真正的男人应该满足孩子的需求，照顾他，爱他的母亲"。

他计划的核心是重建父母的责任，"照顾、管教、责罚孩子并不需要花钱。它们需要的是优先的重视"。而这正是问题所在。

如果每一个社区的父母都能付出些努力，那些混乱中学将慢慢建立起秩序。可在很多家庭中，正是父母们早已处于精神上的破产状态。

对那些还存有自尊和目标的父母而言，现在是开始行动的时候了。让我们对校园暴力宣战，结束学校的混乱状态。若不如此，整个教育体制就会崩溃，任全世界最美妙的话语也无法挽救它。

问：你在《勇于管教》中建议，可以通过观察老鼠或白鼠的生育过程，让儿童了解生命产生的基本事实。你的意图当然是值得赞许的，但你想过没有，你的建议可能引起不被需要的动物出生、动物母亲的痛苦和对它们的虐待。我希望你重新考虑你的建议。

答：让我完全没想到的是，这个看起来无害的建议竟会招致这么多反驳和批评。一位丹佛的"十字军"女士选择了我做她的靶子，每隔几天便写信要求我删除书中的这一部分。当我坚持时，她便把我的名字传给一个支持这一事业的素食团体。最后，我给这位女士写信如下："你赢了！我请求投降！我将在今后的版本里删除这一建议！我为你的顽强祝贺你！"（现在我实现了对她的承诺）

事实上，这位女士和其他给我写抗议信的人都讲得很有道理。有数以百万的动物，特别是小猫小狗流浪在街头，饥肠辘辘、生着病，情况非常悲惨。还有许多被杀死成为饕餮者的盘中餐。我不想造成这种没必要的痛苦，所以在此提醒父母，除非他们准备照顾那些小生物，否则就别让他们出生。

如何培养有个性的

孩子

结　语

永恒的源泉

我们的祖先把这些原则教给他们的孩子,他们的孩子再教给自己的孩子……如此代代相传,直到今天。

20世纪的专家们完全抛弃了这个经过2000多年考验的养儿育女观，从他们自己有限的经验和领悟中产生一些似是而非的见解，把他们自己的臆测和假设当成真理。

在1800年或更早的年代，小孩一出生，就会有许多亲朋好友围在新妈妈身旁，提供意见并帮助她。那个时代的老祖母、阿姨和邻居们几乎从来没有读过任何有关育婴的书籍，然而却并没有妨碍她们正常地养育孩子。她们拥有祖祖辈辈传递下来的智慧，使她们可以自信地养育孩子。对每一件养儿育女的事情，姑且不论方法正确与否，她们都胸有成竹，知道怎样处理。如此一代传一代，年轻的妈妈很快就变成了养育儿女的专家了。

随着四世同堂的大家庭时代的过去，母亲的职责变成了似乎很让人惊恐的工作。年轻的妈妈面对着才出世的新生儿愁眉不展、忧心忡忡，且没有亲友在旁可以求助。他们生活在一个流动的汽车社会，邻居见面不相识，父母又可能远在千里之外（就是在身边，能否帮上忙也说不一定）。斯波克博士曾写到过这种情形："我曾看见过许多即将出院的母亲偷偷饮泣：'我一点也不知道该怎么办？'"

这些忧虑的父母们只好转而求助所谓的"育婴专家"。他们向儿科医生、心理学家、精神病医生、教育工作者征询建议。因此在过去这40多年中，许多父母都遵照着专家的建议来养育小孩，事实上，美国在儿童心理学和家庭辅导方面可说是遥遥领先的。

若是我们问一问："专家们的广泛影响到底起了什么

效果？"那么我们有理由期望经由专家指导而教养出来的新一代会身心健康，远较前几代的人优秀。但结果并非如此——青少年犯罪、吸毒、酗酒、早孕、堕胎、心理疾病和自杀现象益发常见。事实上，我们把父母之道完全搞得复杂而混乱了。当然，我不会天真地把所有问题都责怪到专家们给出的坏建议上，可他们确实该负一定的责任。

科学家好比上帝？

在我看来，20世纪的专家们全然抛弃了这个经过2000多年考验的养儿育女观，反而从他们自己有限的经验和理解中制造一些似是而非的观念，把他们的臆测和假设当成真理。有一个人类学家甚至在周末晚报上写了一篇胡扯的文章，题目是《科学家好比上帝》。作者李奇博士（Dr. Edmund Leech）宣称：

"除了科学家之外，再没有其他道德判断的权威了。传统的宗教相信上帝所赐的道德观，然而上帝只不过是人类所虚拟的一个执法权威，并赋予它超自然和毁灭的能力。这个权威如今已经交回到人类的手上，因此人类必须自己负起道德的责任，无可推诿。"

这段话道尽了今日社会的种种病态。很多骄傲的人就像李奇博士一样，认为上帝已经死了，而把自己推上了他的崇高的位置。他们戴着权威的面具，以无比自信的口吻向众人大肆宣讲他们那些极其荒谬的学说。反过来，许多绝望的父母们却把他们的建议当成救命稻草，结果遭到灭顶之灾。

我认为，这些错误的说教在于，父母满怀爱心的管教是有害的，不负责任才是健康的；信仰的教导是有害的，公然违抗才是好的愤怒的发泄口；所有形式的权威都是危险的，听其自然倒成了上策。

智慧源头

现在我必须承认，我在这本书中所提到的许多忠告和观点，我并不想多加证明或证实。然而，我的观点与那些我所批评的专家们的，到底有什么不同呢？不同的地方在于我所依据的智慧源头。

我写这本书的一个最基本的目的，并不是为个人的脸上添光或者显示我有很好的专业技巧。我的目的是父母充满爱心的管教、合理地教导小孩自我控制和负责任、父母带头寻求子女的最佳利益、尊重个人的尊严和价值、以坚定的决心坚持合理的规矩、运用奖励和惩罚来训练孩子。这是已经存在了2000多年的养育子女的观念，并非由我所独创的。

我相信，只要仍有父亲、母亲、子女的存在，这些观念就将长存下去。它必将比人文主义或其他的荒谬思想有更长远的生命力。

最后的故事

我这本书是以我们家的猎獾犬西吉早年的反抗故事开始的，我想也以它的故事为结束。它现在已经12岁了，再没有年轻时的火爆脾气。事实上，它患了心脏病，很可能活不过一年了。因此，它开始轻松地享受生活，打哈欠、伸懒腰、跑到阳光里去懒懒地躺着。

很难解释，我们一家人会对这只一无用处的老狗如此热爱。我想过不了多久，我们就会怀念老"西吉"的。它比我的大儿子大1岁，伴着他和妹妹走过了整个童年时代。所以，我和妻子开始考虑给他们一些心理准备，以免西吉的死引起太多的悲伤。

上个月的一天，危机终于发生了。当时我刚起床刷牙，突然听到西吉尖利的叫声。它发出一种类似婴儿的叫声，我妻子赶快跑去救援。

"吉姆，快过来，"妻子喊道，"西吉心脏病发作了！"

我拿着牙刷跑到起居室。西吉躺在地上，显得非常痛苦。它的下颚伏在地面，双眼散乱无光。我蹲下身温柔地拍拍它的脑袋，以为它确实是心脏病发作了。我不知道遇上一只狗心脏病发作时该怎么处理，只好抱起它，把它轻轻放回床上。它身体偏向一侧躺着，四肢紧缩，全然无法动弹。看起来，它的大限终于到了。

我回到书房准备给兽医打电话，又听到妻子在大声叫我。原来她仔细看过西吉之后，发现了它的病根。它的爪子的指甲绞缠在一起！原来这就是它不能运动，极端痛苦的原因啊！世界上再也没有一只狗会这样给自己戴上脚铐了，可对西吉来说，什么事情都是有可能的。妻子小心地给它剪开指甲，它欢天喜地庆祝自由的样子就像一只精神勃勃的小狗。

我想，当我变成一个老人，回想这些年为人父母的乐趣时，我一定会想到那些圣诞节、野营、屋子里两个淘气小孩的高声大叫；我会想起那只倔强的猎獾犬，它的名字叫西格玛·弗洛伊德。它在我们那些欢乐的日子里，是一个多重要的角色啊！